Meisjes zijn niet bèta-dom

Uitgeverij Prometheus stelt alles in het werk om op milieuvriendelijke en duurzame wijze met natuurlijke bronnen om te gaan. Bij de productie van dit boek is gebruikgemaakt van papier dat het keurmerk van de Forest Stewardship Council (FSC) mag dragen. Bij dit papier is het zeker dat de productie niet tot bosvernietiging heeft geleid.

Marianne Joëls

Meisjes zijn niet bèta-dom

Over de hersenen in het dagelijks leven

2010 Uitgeverij Bert Bakker Amsterdam

Omslagontwerp Robbie Smits
Omslagillustratie Getty Images
Foto auteur Bob Bronshoff
Zetwerk Mat-Zet BV, Soest
www.uitgeverijbertbakker.nl
ISBN 978 90 351 3542 0

Uitgeverij Bert Bakker is onderdeel van Uitgeverij Prometheus

INHOUD

Setting the stage

ERVARINGEN VAN VROEGER ZIJN STERK VERANKERD

Voorzichtig rijden we het straatje in, de rijstrook is door de auto's die aan twee zijden zijn geparkeerd zo smal geworden dat je op moet letten om je zijspiegels er niet af te rijden. Helemaal aan het eind is nog een parkeerplaats, vlak bij het park. Het is voor Bernard te ver van de school af om te kunnen lopen. We halen zijn karretje uit de auto, hij gaat behoedzaam zitten en zo bewegen we langzaam in de richting van de school, ik lopend en hij gemotoriseerd.

Voor de school staan we even stil om het gebouw van een afstand te bekijken. Hier stond ik veertig jaar geleden ook, op precies dezelfde plaats, kijkend naar dit gymnasium waar ik na de zomervakantie naartoe zou gaan. Het was een vroege zondagochtend, zo'n tijdstip waarop de meeste volwassenen nog slapen en de stad stil is. Op de fiets was ik naar het gebouw gekomen om het te verkennen, om een beeld te kunnen vormen van de plek waar ik zes jaar lang mijn dagen zou gaan doorbrengen.

In gedachten vergelijk ik het beeld van toen met dat van nu. Er is in al die jaren wel iets veranderd maar nu ook weer niet zoveel dat je de school niet meer kunt herkennen. De wilde en onverzorgde tuin aan de straatkant is inmiddels een keurig aangeharkt pleintje geworden en in het midden van het schoolplein is een hek rond een basketbalveld verrezen. Op de zolderverdieping valt me een nieuwe rij ramen op; blijkbaar zitten daar nu ook lokalen om ruimte te bieden aan al die kinderen die graag naar deze school willen. Uit de krantenberichten heb ik begrepen dat tegenwoordig tweemaal zoveel kinderen de school bevolken als in mijn tijd toen het instituut zich bijna moest excuseren voor zijn bestaan en voortdurend met opheffing werd bedreigd vanwege het elitaire karakter. Het wás natuurlijk ook een elitaire school, niet alleen omdat de meeste kinderen uit een welvarend milieu kwamen maar vooral omdat geen leraar hoefde uit te leggen dat het leuk is om iets te leren of te begrijpen. Anderzijds verschilde ons leven niet van dat op iedere andere willekeurige middelbare school; het moeten presteren onder druk, de allianties in een klas, het stiekeme rondgeven van een joint, de heftige verliefdheden, het verplicht uitvoeren wat een leraar opdraagt en de weerzin die dat oproept.

We steken het straatje over en via de oude achteringang bereiken we de hal, onveranderd, alleen iets kleiner dan ik me hem herinner. Terwijl Bernard via een ingewikkelde route naar de aula op de eerste verdieping zoeft, werp ik een blik in de lange gang haaks op de hal: de tegels van vroeger, links de nissen waar onze jassen hingen en rechts de lokalen. Opnieuw valt me op dat het allemaal zoveel kleiner is dan ik dacht, maar afgezien daarvan kan ik nog blindelings de weg vinden.

Boven is het inmiddels druk geworden met reünisten. Keurig publiek, hoor, maar in de verzorgd geklede en gekapte vrouwen herken ik niet de meisjes van vroeger, toen zonder uitzondering met lang haar. Ook de weldoorvoede mannen in overhemd, een enkeling in kostuum, roepen geen reminiscenties op aan vroeger tijden. Sommige deelnemers zijn duidelijk van voor mijn tijd, tanig, een beetje krom al. Maar de meeste aanwezigen zijn tussen de veertig en zestig jaar, zo te zien tevreden met het leven, gearriveerd, succesvol. De dertigers zijn nog te kort van school om geïnteresseerd te zijn hoe het iedereen is vergaan, en zijn dus ondervertegenwoordigd bij deze lustrumreünie.

Na tien minuten wordt het geroezemoes plotseling overstemd door de schoolbel, een geluid dat we al lang niet meer gehoord hebben maar dat een lach van herkenning oproept. Pratend en ongeorganiseerd loopt het gezelschap de aula in en zoekt schuivend door de rijen een plaats om te gaan zitten. Die ongeorganiseerde binnenkomst is in ieder geval wél veranderd, vergeleken met vroeger.

Die eerste schooldag, de opening van het jaar. Alle eersteklassers werd verzocht de aula in te gaan en vrijwel vooraan plaats te nemen, de eerste drie rijen zorgvuldig vrijlatend. Achter ons werd de zaal geleidelijk opgevuld met de tweede, derde en hogere klassen; helemaal achterin zaten de zesdeklassers, maar die zaten letterlijk en figuurlijk zo ver van ons af dat we hen niet hadden herkend, al hadden we naast hen gestaan. Toen iedereen in de aula eindelijk op zijn plek zat, liep een gevorderde leerling naar de vleugel links vooraan en zette de melodie van het schoollied in. Als één man verhieven alle leerlingen zich en zongen de tekst – in het Latijn! – van het lied, een vertoning die zelfs in die tijd al een volstrekt anachronisme was. Als Mozes door de Schelfzee, zo schreed onder de klanken van het schoollied het volledige lerarenkorps door het gangpad naar voren en nam plaats op de eerste drie rijen, zodat de nietige eersteklassertjes ieder zicht op het podium werd ontnomen. Nadat iedereen aldus van een zitplaats was voorzien, verhief de rector zich, ging achter het spreekgestoelte staan en sprak vervolgens een halfuur over het voorrecht om leerling van deze school te mogen zijn, een langdradige toespraak doorspekt met veel citaten in het Grieks of Latijn. 'Want zoals Plato al zei...' De eersteklassers rekten zich uit om ook iets te kunnen zien van de redenaar, terwijl achter in de zaal voorzichtig keet werd geschopt.

Als nieuwe leerling verloor je gaande de voordracht je aandacht en begon je voorzichtig de omgeving in je op te nemen. Op de witte muren boven het toneel stonden schilderingen van Griekse helden, voorzien van namen in ons nog onbekende Griekse letters. Rechts en links waren ramen die uitzicht gaven op het schoolplein en de straat. Die ramen werden in de loop der jaren steeds belangrijker voor me tijdens de bijeenkomsten in de aula, naarmate het schouwspel vooraan minder boeide. De zonnige vensters vormden een verbinding met de vrijheid, het ongebonden leven buiten school. Vanuit het perspectief van een leerling, opgesloten in de school, was die vrijheid aanlokkelijk, iets om naar te verlangen. De mevrouw die voor haar huis de kokosmat uitklopte was te benijden, want er was niemand die zei dat ze het moest doen en ze kon zelf het moment voor dat klusje uitkiezen. Dat verlangen naar vrijheid heb ik nooit meer zo intens gevoeld als toen, achter de ramen van de aula, want toen ik na mijn eindexamen eenmaal de grote vrijheid had bereikt, bleek er nog steeds heel veel te moeten. Van de ramen dwaalde mijn blik vervolgens naar de leraren voor me, de mannen in het pak of toch ten minste met een colbertje aan, de vrouwen in een jurk of rok. Enkelen kwamen wel jeugdig over, maar de meeste leraren waren in het vak vergrijsd. Op die eerste schooldag waren het voor ons nog onbekende mannen en vrouwen, een beetje eng.

Die eerste dagen hebben een heel diepe indruk achtergelaten. Ik vermoed dat mijn beeld van de school, zowel de ruimte als de personen, zich toen in mijn herinnering heeft gebeiteld. Herinneringen uit deze levensfase, tussen je tiende en twintigste jaar, worden naar verhouding heel sterk vastgelegd. Vraag mensen om naar aanleiding van enkele steekwoorden (zoals angst of geluk) de eerste herinnering te noemen die hen te binnen schiet en vaak zal het iets zijn dat in de tienerjaren heeft plaatsgevonden. Vandaar ook dat ik de school zoveel kleiner vind; ik vergelijk mijn indruk van nu met het perspectief dat ik als twaalfjarige had, zo'n twintig centimeter dichter bij de grond. Natuurlijk, in de jaren daarna zijn de ruimtelijke afmetingen bijgesteld naarmate ik langer werd, maar het lijkt wel of die latere herinneringen minder diep verankerd zijn, alsof dat gewist is en alleen de eerste indrukken zijn overgebleven.

Hoe ervaringen in ons geheugen worden vastgelegd is een onderwerp waar intensief onderzoek naar is verricht. Iedereen heeft een schat aan herinneringen: wat je overkomen is, wanneer en op welke plek; wie daarbij aanwezig waren, hoe je je op dat moment voelde. Een deel van die ervaringen wordt geleidelijk in kennis omgezet en wordt daarmee algemener van toepassing en neutraler. Het draagt bij aan ons (semantische) geheugen voor feiten. Maar voor een deel bestaat ons geheugen uit een verzameling unieke gebeurtenissen waar nog steeds onlosmakelijk details over plaats, tijd en emotie aan verbonden zijn; dit is het episodische geheugen. Welke hersengebieden van belang zijn bij het vastleggen van dit soort informatie en hoe zich dat ontwikkelt in een mensenleven is vrij goed bekend. Vooral het ontwikkelen van een ruimtelijk geheugen is heel goed onderzocht. Informatie zoals: hoe ziet de school er in detail uit, waar is bijvoorbeeld het lokaal van de leraar Frans?

De eerste en snelste manier om een route te leren is er een waarin je lichaam zich altijd in dezelfde positie ten opzichte van het lokaal bevindt. Het lokaal voor Frans? Dat is de onderste gang in en dan bij de derde deur een draai naar rechts. Dit is een eenvoudige, routinematige manier van leren waar delen aan de bovenkant van de hersenschors (de pariëtale schors, zie figuur op p. 182) en een structuur daaronder (de caudatus) een belangrijke rol in spelen. Op korte termijn is het een efficiënte manier van ruimtelijk leren, maar op langere termijn is het niet flexibel genoeg. Stel dat je van de andere kant de gang in komt lopen en je maakt routinematig een draai naar rechts, dan beland je in de kapstokken. Het is dus handig als je een plaats in de ruimte, zoals een lokaal, kunt bepalen aan de hand van vaste herkenningspunten in de omgeving, zodat je niet automatisch een bocht naar rechts maakt, maar weet dat je, aangekomen bij de kapstokken, de tegenoverliggende deur moet binnengaan. Deze aanpak, waarbij je een meer globale indruk hebt van voorwerpen in de ruimte, is een tweede vorm van ruimtelijk leren die vooral van een zeepaardvormige structuur in de hersenen afhangt, de hippocampus. De verbindingen tussen zenuwcellen in de hippocampus die betrokken zijn bij het vinden van het lokaal voor Frans worden tijdens het leren van de positie versterkt en blijven langdurig versterkt, ook als de route tijdens de zomervakantie niet geoefend wordt. Na de zomervakantie loopt de leerling er zonder haperen direct naartoe. Tegelijk maken de zenuwcellen in de hippocampus verbindingen met cellen elders in de hersenen waar details worden vastgelegd die indirect te maken hebben met de locatie, zoals het gezicht van de leraar, de negatieve emotie die je overviel als je weer eens een onvoldoende had gescoord, de lichtval op die zomerdag dat je besefte voor het laatst Franse les te hebben gehad. Via de hippocampus worden al deze ervaringen aan elkaar geknoopt. Bij herhaaldelijke blootstelling aan de route kunnen de globale principes uiteindelijk in de hersenschors worden verankerd, maar het geheel van gedetailleerde informatie over dat lokaal blijft altijd kritisch afhankelijk van de hippocampus.

Zelfs kleine kinderen van drie jaar kunnen al uitstekend ruimtelijk leren aan de hand van globale aanwijzingen uit de omgeving. Op die leeftijd is het zelfs de voornaamste strategie waarmee ze een bepaalde plaats of een voorwerp in de ruimte weten terug te vinden. Zou je hen via de 'gewone' route naar het lokaal laten lopen maar verander je de omgeving door bijvoorbeeld een kamerscherm voor de kapstokken te plaatsen, dan hebben ze de grootste moeite om de weg te vinden. Het vermogen om je te oriënteren door niet alleen gebruik te maken van de omgeving maar ook van jouw positie ten opzichte van een lokaal of voorwerp is iets wat zich in de jaren daarna pas goed ontwikkelt. De beste ruimtelijke leerprestaties worden geleverd als we over beide systemen kunnen beschikken. Nog later (tussen vijf en tien jaar oud) kunnen kinderen het lokaal ook vinden als ze de ruimte vanuit een ongebruikelijk perspectief benaderen en tegelijk de omgevingskenmerken variaties vertonen, zoals kapstokken die zich nu aan weerszijden van het lokaal bevinden in plaats van uitsluitend recht ertegenover. Kinderen van die leeftijd zien al kans een gedetailleerd ruimtelijk overzicht te maken van de positie van het lokaal in het geheel van de gang (aan het begin of het eind), de nissen en andere vaste geometrische vormen. Ze kunnen zich de positie van het lokaal in de school zelfs voorstellen als ze zich elders bevinden.

Je kunt kinderen die zich in een normaal tempo ruimtelijk leren oriënteren dus rustig een middelbare school in sturen, met voor ieder vak een ander lokaal. Na enig oefenen weten ze elk lokaal feilloos te vinden, of ze het nu via de ene trap of de andere trap benaderen, zelfs als er geen nummer op de deur zou staan. En voor de globale route geldt: eens geleerd blijft geleerd, tenzij je hersenschors ermee ophoudt.

Niemand in de aula heeft dan ook problemen als we groepsgewijs worden meegestuurd met een van onze 'oude' leraren. De oudste leerlingen marcheren met drie eindexamenjaren tegelijk achter een hoogbejaarde leraar de aula uit; in die leeftijdscategorie heeft Magere Hein al zo huisgehouden dat er gecombineerd moet worden om nog een fatsoenlijk groepje over te houden. Bij de anderen gaat het per eindexamenjaar. 'Mijn' jaar wordt opgeroepen om de vroegere leraar Nederlands te volgen, voor de gelegenheid naar het lokaal Engels. Onwennig volgen achttien vijftigers de leraar, terwijl we proberen de kinderen van vroeger in ons huidige uiterlijk te herkennen. Maar zonder aarzelen lopen we de trap op naar de tweede verdieping en stoppen bij het vierde lokaal. Er mogen dan vele jaren verlopen zijn sinds we dit gebouw dagelijks bezochten, ons ruimtelijk geheugen werkt gelukkig nog uitstekend.

Pukkie

LEREN DOOR BELONING

Lokaal 21, vroeger het lokaal van de leraar Engels. Terwijl we achter elkaar de klas in schuifelen, kijk ik onwillekeurig naar de stoel links vooraan, de vaste stoel van Pukkie, nu leeg natuurlijk.

Die leraar Engels was een markante figuur, zo'n leraar die je niet gauw vergeet. Hij droeg altijd een tot op de draad versleten tweedjasje, door hemzelf ooit aangeschaft in Schotland, tijdens een van zijn bedevaartsreizen naar het geliefde Verenigd Koninkrijk. De leraar was verder getooid met een borstelige snor, aan de zijkant in treurvorm bijgeknipt. Als je een karikatuur van een Engelsman in gedachten oproept kom je bij deze leraar uit, maar hij was – heel prozaïsch – opgegroeid in de Amsterdamse Jordaan.

Niet alleen qua uiterlijk maar ook wat betreft zijn excentrieke gedrag had hij zich in een vorm van mimicry aangepast aan het volk waar hij over doceerde. Zo had hij bijvoorbeeld in de loop der jaren besloten dat het ondoenlijk was om aan het begin van ieder schooljaar weer honderd nieuwe namen van leerlingen erbij te leren. Dat loste hij eenvoudig op door iedere jongen aan te duiden met Kwibus. Een zeer simpele oplossing voor de leraar, maar voor de leerlingen nogal verwarrend, want als Kwibus een stukje tekst moest voorlezen, moest de betrokkene uit de kijkrichting van de leraar afleiden dat het om hem ging. De meisjes werden overigens aangesproken met Kwiba, wat inderdaad de juiste vrouwelijke uitgang is van het mannelijke Kwibus – we zaten op een gymnasium, tenslotte. Aldus het namenprobleem tot overzichtelijke proporties gereduceerd hebbend, leunde de leraar achterover, met een pijp in de mond, voor de klas zittend in een gemakkelijke fauteuil.

Op een dag kwam hij de klas binnen, met in zijn kielzog een jong lichtbruin hondje met een zwarte snuit. 'Dit is Pukkie,' stelde hij het beestje aan ons voor. Hij richtte zich vervolgens tot het hondje. 'Ga daar maar braaf zitten,' zei hij, en wees naar de stoel links vooraan. Op die stoel zat al een leerling, dus aan de hele rij links werd nu verzocht één plaats naar achteren te verhuizen. Vanaf dat moment was de klassenindeling op de linkerflank tijdens alle lessen Engels aangepast aan Pukkies verblijfplaats. Zodra de leraar zich tot het hondje richtte met 'Ga daar maar braaf zitten', sprong het diertje op de voorste stoel links, legde zijn snuit op de tafel en keek met twee donkerbruine flikken droevig naar het schoolbord. We voelden met hem mee. Als mens is het al geen pretje om in de schoolbanken te moeten zitten, maar als hond ben je dan wel heel ver van de wolf in je afgedreven.

De leraar lichtte tijdens de eerste les de antecedenten van Pukkie toe. 'Pukkie is een echte rashond,' vertelde hij, 'een Leonberger.' Dat klonk poëtisch en riep vergezichten van besneeuwde bergtoppen op. 'Hij is nu nog een pup,' vervolgde hij, 'dus de komende maanden zal hij nog iets groeien.'

Daar keken we enigszins van op. Pukkie was nu al aardig aan de maat en reikte ongeveer tot de knieholte van de leraar. Hij had plompe pootjes en een flinke kop. Waren we op kynologisch gebied wat beter onderlegd geweest dan hadden we geweten dat die plompe pootjes meestal een forse toekomst beloven. Dat bleek inderdaad algauw. We zagen Pukkie met de les groeien, totdat hij na enige tijd tot kruishoogte van de leraar kwam en duidelijk werd dat de Leonberger verwant is aan de Sint-Bernard. Geen hondje waarvan de eigenaars hebben gedacht: nou, vooruit, we nemen een hond, maar dan een kleintje. De naam Pukkie was inmiddels nogal achterhaald, het verwees meer naar een tedere jeugdherinnering. Dat zie je bij mensen ook wel eens: ouders die met een liefdevolle blik in de wieg besluiten hun dochter Roosje te noemen, maar twintig jaar later is ze met haar één meter tachtig en vijfenzeventig kilo een hele Roos geworden.

De eenvoudige schoolstoel waar Pukkie op resideerde werd halverwege het schooljaar vervangen door de oude fauteuil van de leraar, want de hond bloesde zo nadrukkelijk over de randen van de houten stoel dat hij niet braaf meer kon blijven zitten. In plaats van door Pukkie werd de schoolstoel nu gebruikt door de leraar, voor de klas.

Pukkie was natuurlijk zindelijk, maar zelfs een hond met toiletmanieren moet op gezette tijden toch naar buiten. Hij gaf zelf aan als de tijd daarvoor was aangebroken. 'Woef,' klonk het van de voorste stoel links. 'Ach Kwibus,' zei de leraar dan, 'laat jij Pukkie even uit. En je weet het: hij krijgt pas een hondenkoekje als hij zijn plasje netjes bij een boom doet, niet eerder.' De betreffende leerling kreeg dan enkele hondenkoekjes mee, die hij direct in zijn jaszak moest opbergen, met de rits dicht, anders rook Pukkie het en zette enthousiast zijn poten op de schouder van de leerling, op zoek naar de lekkernij. En nu hij in verticaal opzicht met gemak boven de meeste kinderen uittorende, was dat een ervaring die je maar beter kon vermijden.

Het principe van 'voor wat hoort wat' berust op de werking van het beloningscircuit in de hersenen. Mens en dier kunnen heel goed leren dat een bepaald gedrag een beloning tot gevolg heeft. Het vooruitzicht van de beloning zal in toenemende mate leiden tot het uitvoeren van de gewenste handeling. Voor het realiseren dat er een verband bestaat tussen actie en gevolg is het voorste deel van de hersenschors (de mediale frontale schors, zie p. 182) heel belangrijk. Om zo'n verband te leggen is niet alleen van belang dat een handeling voorspelbaar tot een uitkomst – de beloning – leidt, maar ook dat de beloning niet zomaar gratis wordt uitgekeerd; in dat laatste geval zou je namelijk kunnen gaan denken dat het niet uitmaakt of je eerst de gewenste handeling verricht, omdat je uiteindelijk toch wel in de prijzen valt. Er moet voor de betrokkene ook een duidelijke tijdsrelatie zijn tussen handeling en beloning; als je uren moet wachten voor de beloning komt, is het niet meer helder dat de winst slaat op iets wat je lang daarvoor hebt gedaan. In het leggen van die tijdsrelatie zijn volwassen mensen overigens redelijk goed, maar kinderen of dieren hebben daar veel moeite mee. Dus bewondering uiten over de plas die je tweejarige dochtertje zojuist in de pot heeft gedeponeerd werkt prima, maar het opsparen en uitstellen van deze kirrende woorden tot het eind van de dag mist ieder effect om nu eindelijk eens van die luiers af te komen.

Gedrag dat door beloning heel vaak getraind wordt, kan op den duur geautomatiseerd worden. Van een doelbewuste handeling wordt het dan een gewoonte. Die gewoonte staat inmiddels los van de voorspelbare beloning, met andere woorden: als de beloning uitblijft of onregelmatig wordt verstrekt blijft de handeling nog steeds bestaan. Uit experimenten met ratten is gebleken dat dit soort gewoontegedrag afhankelijk is van een iets lager gelegen gebied in de mediale frontale schors. Als dit deel van de schors niet werkt, kan de rat wel een verband leren tussen een bepaalde handeling en de beloning die eraan vastzit, maar zal hij nooit dat gedrag gaan automatiseren. Zodra de koppeling tussen handeling en beloning verzwakt, zal het dier geleidelijk ophouden om de gewenste handeling te vertonen.

De gedachtegang om Pukkie door beloning geleidelijk te leren dat hij netjes bij een boom moest plassen was dus niet zo gek. Het idee was dat hij eerst het verband moest leggen tussen die boom en het koekje, om vervolgens ook dat gedrag te vertonen zonder beloond te worden. Maar of die benadering in dit geval echt werkte? Mm, uit ervaring kan ik melden dat het verband tussen gedrag en beloning niet altijd even consequent werd toegepast, de doodsteek voor deze manier van leren. Pukkie werd te vaak beloond zonder dat hij bij een boom plaste.

Zoals sommige leerlingen zich schuilhouden als er een mondelinge beurt dreigt, zo dook ik altijd weg achter de leerling voor mij als Pukkie – woef – zijn plaspauze aankondigde. Daar keek de leraar echter doorheen en op gezette tijden riep hij Kwiba (mij) op om Pukkie uit te laten. Met lood in de schoenen liep ik op de aangelijnde Pukkie af, bang voor honden in het algemeen en voor dit kalf in het bijzonder. De hond werd echter geheel niet geplaagd door negatieve gevoelens en trok enthousiast aan de lijn, in de startblokken voor een nieuw avontuur op straat. Hij was de poort van de school nog niet uit of hij zette de sokken erin, in gestrekte draf op weg naar het park driehonderd meter verderop. Ik kon hem maar net bijhouden, rennend, met de lijn strakgespannen in mijn hand geklemd. In het park bleek Pukkie bijzonder geïnteresseerd in medehonden, met een perverse voorkeur voor kleine vrouwtjes, type schoothond. Ik was altijd bang dat hij ze met één flinke hap zou opschrokken, maar het was slechts speelse interesse van zijn kant. Hij liep snuffelend achter de hondjes aan en nam daarbij een voorzichtigheid in acht alsof hij in een porseleinwinkel liep. Als hij bij de een was uitgesnuffeld holde hij op die plompe poten met de tong uit de bek alweer naar de volgende.

Na een halfuur begon ik me dan zorgen te maken. Hoe moest ik dit beest ooit weer naar school terugkrijgen? Trekken aan de lijn hielp natuurlijk niet, dan keek hij even verstoord naar achteren zonder een millimeter van zijn plaats te wijken. Uiteindelijk kwam ik op het idee om de hondenkoekjes als lokaas in te zetten. Zoals Klein Duimpje een spoor van steentjes liet vallen om de weg terug te kunnen vinden, zo wierp ik steeds een stukje van de hondenkoekjes zo ver mogelijk vooruit in de richting van de school. Pukkie holde ernaartoe, vrat het koekje op en keek verwachtingsvol over zijn schouder of er nog meer kwam. Zo vorderden we met sprongen van twintig meter naar school. Onderweg deed hij nog achteloos hier en daar een plas – tegen auto's, op de stoep, bij stenen muurtjes –, maar dat was nu bijzaak. Ik ging hem daar noch voor bestraffen, noch belonen: de koekjes waren immers mijn *lifeline* naar het veilige leven in school, die gaf ik niet uit handen voor zoiets futiels als een plas, al dan niet bij een boom. Het materiaal reikte tot vlak voor de ingang van de school. Daar aangekomen herkende Pukkie het gebouw en verlangde blijkbaar innig naar zijn fauteuil, want hij holde met twee treden tegelijk de trap op en kwam enthousiast blaffend lokaal 21 binnen.

'En?' vroeg de leraar. 'Heeft hij netjes bij een boom geplast?'

'Hij heeft wel driemaal geplast,' antwoordde ik dan,

'en alle koekjes zijn op.' Daar was geen woord van gelogen, hoewel het geen antwoord was op de vraag.

Het is duidelijk dat Pukkie tijdens dit soort uitstapjes weinig goed gedrag via beloning aangeleerd heeft gekregen. Maar toch had hier beloning wel tot het gewenste resultaat geleid; gewenst door mij dan, niet door de leraar. Misschien dat de hond niets heeft geleerd van mij, maar ik heb wel iets van die uitlaatbeurten van Pukkie opgestoken, namelijk dat list, eigen initiatief en creatieve antwoorden een moeilijke situatie kunnen oplossen, een van de nuttigste zaken die de school me heeft bijgebracht. En Pukkie? Ach, de schat, ik wil wedden dat hij in de hondenhemel nog steeds overal plast behalve bij de bomen.

The quick brown Fox...

NEUROBIOLOGISCHE ACHTERGROND VAN TAALONTWIKKELING

Daar zitten we dan in het lokaal, vijfendertig jaar later. Achttien geverfde, grijze of zelfs kale koppen, braaf gerangschikt in dezelfde schoolbanken als vroeger, verwachtingsvol de blik op de leraar gericht. Die is ook kaal, maar dat was hij al toen we als twaalfjarigen voor het eerst bij hem in de klas kwamen; zijn kransje haar is alleen van blond naar grijs verkleurd. Hij draait zich om naar het schoolbord, knakt een krijtje doormidden en schrijft in sierletters een lange samengestelde zin op het bord. 'Zo,' zegt hij glimlachend terwijl hij zich weer naar ons toe draait, 'we gaan die zin eens redekundig ontleden, net als vroeger. Eerst maar het werkwoordelijk gezegde eruit halen.'

Een lichte onrust maakt zich nu van de klasgenoten meester. Grammatica was vroeger al een gruwel, maar nu er decennialang stof op neergedwarreld is, tast iedereen hulpeloos rond. We worden collectief giechelig, zeker als ons naar de bijwoordelijke bepaling wordt gevraagd. Het verschil met vroeger is dat we er na al die jaren achter zijn gekomen dat je uitstekend kunt leven zonder een bijwoordelijke bepaling te kunnen herkennen; dat verleent ons een zekerheid die we vroeger nog niet hadden. Maar onder de blik van de leraar verschrompelen we toch weer een beetje tot de puber die vreest voor een onvoldoende.

Het is vreemd dat vrijwel ieder kind probleemloos een taal leert spreken zonder weet te hebben van de grammaticale regels die aan de taal ten grondslag liggen. Taalkundigen bestrijden elkaar al decennia met theorieën dat dit komt omdat ieder kind een aangeboren universeel begrip van taal heeft of juist omdat alle informatie in de vroege jeugd aangeleerd wordt. Deze discussie laat ik graag aan de taalkundigen over, want die hebben alle argumenten op een rijtje. Betrekkelijk nieuw echter is het inzicht dat ook neurobiologie iets kan verklaren van het begrip van en communicatie in taal. Het aanleren en uitspreken van taal – iets wat je intuïtief toch helemaal aan het andere eind van het wetenschappelijke spectrum zou plaatsen dan scheikunde of biologie – blijkt deels afhankelijk te zijn van de genetische code die je vanaf de conceptie in je draagt.

Dat taalgevoel een erfelijke component heeft was al langer bekend. Zo komt de taalgevoeligheid bij eeneiige tweelingen heel sterk overeen. Zelfs bij twee-eiige tweelingen is er nog zo'n 50 procent overeenkomst in hun onderlinge prestaties bij taaltestjes, terwijl ze een dergelijk sterk verband niet vertonen met adoptiefkinderen die toevallig in dezelfde familie zijn opgegroeid. Ook stoornissen in taalontwikkeling hebben een familiaire component. Specifieke taalstoornissen, waarbij geen voor de hand liggende verklaring voor het taalprobleem bestaat zoals een gehoorprobleem, schade aan de hersenen of andere ontwikkelingsstoornissen, komen vaker onder verwanten voor dan bij willekeurige leden van de bevolking.

Maar is er zoiets als een taalgen? Je zou verwachten dat het aanleren van taal een ragfijn samenspel is tussen vele genen. Dat is waarschijnlijk ook het geval; genen die een rol spelen bij specifieke taalstoornissen (waar het aanleren van taal misgaat) zijn op allerlei chromosomen aangetroffen. Toch blijkt dat een fout in slechts één gen al een desastreuze invloed kan hebben op het produceren van taal. Tot dit inzicht is men enkele jaren geleden gekomen toen de genetische code werd onderzocht van een familie waar in meerdere generaties dezelfde taalstoornis voorkwam. Aangetoond kon worden dat bij de familieleden met de stoornis een fout zat in een Fox-gen.

Fox? Engels voor zo'n steenrood beestje met een spitse snuit en een pluimstaart? Bij fox moet ik vooral denken aan 'The quick brown fox jumps over the lazy dog', het zinnetje waarmee in lang vervlogen tijden werd getest of alle toetsen van een typemachine wel in orde waren, omdat het een bijna-perfecte pangram is, een zin waarin alle letters van het alfabet worden gebruikt. Die associatie zal natuurlijk alleen optreden bij de generatie die nog weet wat een typemachine is, dezelfde generatie die nog verontschuldigend zegt: 'Ik heb het verkeerde nummer gedraaid', omdat telefoons vroeger een draaischijf hadden in plaats van tiptoetsen.

Maar nee, Fox heeft in dit geval niets met het dierenrijk te maken, het is een samentrekking van 'Forkhead box'. Die Forkhead box is een klein stukje eiwit dat in min of meer dezelfde vorm voorkomt in zo'n veertig grotere eiwitten die door hun verwantschap een familie vormen. De Forkhead box kan binden aan bepaalde genen (delen van het DNA, onze erfelijke code) en daardoor het kopiëren van die genen beïnvloeden, zodat er meer of juist minder genproducten worden gevormd. Omdat een Forkhead box aan verschillende genen kan binden, heeft het invloed op het al dan niet produceren van heel veel verschillende genproducten, een krachtige manier van ingrijpen in levensprocessen. Vooral in levensfases waarin de juiste hoeveelheid van die genproducten (eiwitten) belangrijk is, zoals tijdens de aanleg van hersencircuits in de vroege ontwikkeling, kan een fout in de erfelijke code van een Fox-eiwit daarom grote gevolgen hebben. Bij de betreffende familie waar het eerste 'taalgen' werd aangetoond, bleek een fout te bestaan in het FoxP2-gen. Fouten in het FoxP2-gen kunnen overigens maar een klein percentage van het optreden van specifieke taalstoornissen verklaren.

Zodra men wist dat een mutatie (fout) in het FoxP2-gen leidt tot een taalstoornis, diende zich de volgende vraag aan: Wat doet het FoxP2-eiwit dan precies? Om daar meer inzicht in te krijgen ging men allereerst na waar en wanneer je het FoxP2-eiwit kunt waarnemen.

Daar bleek al meteen iets merkwaardigs mee aan de hand te zijn. Zoals verwacht trof men FOXP2 inderdaad aan in hersengebieden die betrokken zijn bij het begrip, de betekenis en vooral productie van woorden en zinnen. Het eiwit was ook keurig aanwezig tijdens de eerste levensjaren, de periode waarin taalbegrip en taalproductie zich ontwikkelen. Maar vreemd genoeg bleek FOXP2 ook in andere organen voor te komen, zoals de long, een lichaamsdeel dat je toch niet meteen met taal in verband brengt. En niet alleen mensen, ook allerlei andere diersoorten zoals apen en muizen blijken FOXP2 in hun hoofd te hebben, terwijl die toch niet bekendstaan om de uitgebreide gesprekken die ze met elkaar voeren. Tijd en locatie van het eiwit leveren in dit geval dus geen eenduidige boodschap.

Om beter inzicht te krijgen in de betekenis van het FOXP2-eiwit voor hersenfuncties heeft men vervolgens allerlei genetisch gemodificeerde muizen ontwikkeld, zoals muizen die helemaal geen FOXP2 kunnen maken. Daarbij bleek al snel dat FOXP2 niet zonder reden in de longen zit: het heeft een belangrijke rol bij de ademhaling, waardoor afwezigheid van het eiwit al snel leidt tot de dood. Ook heeft men muizen gemaakt die niet het muizen-FOXP2 hebben maar menselijk FOXP2, met of zonder allerlei mutaties die bij mensen leiden tot een specifieke taalstoornis. Muizen die één gezonde kopie van FOXP2 hebben en zo'n gemuteerde vorm (ieder gen komt in twee kopieën voor, behalve genen die op het Y-chromosoom liggen) hebben onder meer een vertraagde ontwikkeling, bewegingsstoornissen en minder goed functionerende longen, een heel divers beeld dat goed overeenkomt met het feit dat FOXP2 aan meerdere stukken DNA kan binden en dus allerlei effecten in het lichaam kan hebben. Ook in de hersenen van muizen met een gemuteerd FOXP2-gen zijn functionele stoornissen aangetoond. De belangrijkste hiervan was dat het vermogen tot langdurig aanpassen van contacten tussen cellen – waarvan men aanneemt dat het ten grondslag ligt aan het leren van informatie – sterk was afgenomen. Dit werd vooral gezien in een gebied dat betrokken is bij het leren van bewegingstaken. Maar of dit nu leidt tot een verminderd vermogen tot het produceren van taal is bij muizen niet goed te onderzoeken, want zoals gezegd staan muizen niet bekend als de babbelaars onder de gewervelde dieren.

Om dat laatste aspect beter te kunnen benaderen heeft men daarom onlangs experimenten uitgevoerd bij zangvogels. Natuurlijk is de zang van vogels niet precies hetzelfde als de taal van mensen; menselijke taal is veel ingewikkelder, zoals ons vermogen tot plaatsen van gebeurtenissen in de tijd en de mogelijkheid aan te kunnen geven wat iets voor een ander betekent. Tenminste, voor zover we vogelzang tot nu toe kunnen 'verstaan'; misschien zal de toekomst uitwijzen dat vogels ook tot dergelijke hoogstandjes in staat zijn. Maar ook nu al zijn er genoeg overeenkomsten beschreven tussen zang en spraak om zangvogels tot een interessant diermodel te maken. Zo hebben vogels net als mensen een circuit van hersengebieden, dat zorgt voor het begrip, de betekenis en productie van klanken. De functie van die gebieden bij mens en zangvogel ligt grotendeels vast in het normale patroon van ontwikkeling, nog voordat er sprake is van het gebruik van taal. Bij mensen is dit taalcircuit sterk gekoppeld aan de linkerhersenhelft. Activatie van dit circuit bij blootstelling aan taal (maar niet bij betekenisloze klanken) is al waar te nemen bij zuigelingen, lang voordat ze zelf in staat zijn met behulp van taal te communiceren. In een heel vroeg ontwikkelingsstadium kunnen bij beschadiging van het circuit andere hersengebieden (bijvoorbeeld parallelle gebieden in de andere hersenhelft) de functie nog redelijk overnemen, maar na een bepaalde kritische ontwikkelingsfase is dat niet meer mogelijk. Beschadiging op volwassen leeftijd leidt daarom bijna altijd tot ernstige stoornissen in begrip of productie van taal. Tijdens de kritische fase wordt blijkbaar de vorming van het taalcircuit in grote lijnen afgerond. Interessant is dat de afronding van het circuit afhankelijk is van blootstelling aan taal. Dat geldt niet alleen voor mensen maar ook voor vogels: vogelzang is, net als taal, afhankelijk van het imiteren van klanken vroeg in het leven, waar uitgaande van een aangeboren klankvermogen voortdurend bijgeschaafd wordt, door het luisteren naar de voortgebrachte klanken en naar aanleiding hiervan aanpassen van het arsenaal. Mensen en vogels die in hun vroege jeugd niet in een 'talige' omgeving zijn opgegroeid zullen nooit goed via taal kunnen communiceren, zelfs niet als hun uitgebreid taalonderricht wordt aangeboden na de kritische periode. Dat wil niet zeggen dat het taalcircuit na de kritische periode helemaal is dichtgetimmerd. Er is nog volop ruimte voor allerlei veranderingen, mits de basis goed is. Na het aanleren van je moerstaal tijdens de kritische periode kun je daarom nog met redelijk gemak enkele andere talen leren. Ook vogels kunnen hun zangpatronen nog volop bijslijpen.

Vanwege al die overeenkomsten heeft men zangvogels gekozen om beter het belang van FOXP2 voor communicatie te kunnen onderzoeken. Gebleken is dat het onderdrukken van FOXP2-vorming tijdens de kritische zang-leerfase bij zebravinken leidt tot minder goede imitatie van de zang die tijdens die fase tot voorbeeld dient. Het aanpassen van de eigen ruwe zangklanken aan het volwassen voorbeeld verloopt tijdens de leerfase niet zoals het hoort. Of dit ook de functie is van FOXP2 bij menselijke taal valt nu nog niet te zeggen, maar het past wel bij het beeld dat men heeft aangetroffen bij de familie waar de FOXP2-mutatie voor het eerst is aangetoond. Ergens tijdens de kritische periode waarin taal wordt aangeleerd en de aanleg van het taalcircuit wordt afgerond is een correcte werking van een set taalgenen, waarvan FOXP2 er slechts één is, dus essentieel.

Genen en taal, een combinatie waar men tot voor kort nog nauwelijks over nadacht, zijn sinds de ontdekking van een mutatie in het FOXP2-gen onlosmakelijk met elkaar verbonden. Al die kennis helpt natuurlijk niet om de ingewikkelde zin op het bord redekundig te ontleden. Gelukkig geeft de leraar het na enkele minuten ook maar lachend op. Hij gaat op de hoek van de tafel zitten, kijkt ons aan en zegt: 'Ik ben eigenlijk veel benieuwder om te horen van welke dingen jullie nu veel meer weten dan ik.'

Hij wijst naar de wat corpulente meneer op de voorste rij bij het raam. ‘Diederik, toch? Je ziet er geslaagd uit en dat overtreft al ruimschoots mijn verwachtingen.’ Het cynisme is bij deze leraar in de loop der jaren niet gesleten, maar we kunnen er nu beter tegen dan veertig jaar geleden. Hij vervolgt: ‘Ik ben vreselijk nieuwsgierig om te horen wat jij nu bent gaan doen.’

The righting reflex

NEURO-ECONOMIE

De Nobelprijs wordt alleen bij het leven uitgereikt. Het verhaal gaat dat een Nederlander van Duitse afkomst ooit zo de Nobelprijs is misgelopen, omdat hij onverwachts overleed in 1927, het jaar dat zijn kansen gunstig lagen. De man, Rudolf Magnus, was de eerste hoogleraar farmacologie (leer van de geneesmiddelen) in Nederland, maar was eigenlijk meer bezig met de werking van organen dan de farmacologie van zoogdieren. Het onderzoek waarmee hij de grootste bekendheid heeft verworven was de zogenaamde 'righting reflex', beter bekend als het fenomeen dat een kat altijd weer op zijn pootjes terechtkomt. Rudolf Magnus toonde onder meer aan dat het belangrijk is dat de kat zich met behulp van zijn ogen kan oriënteren en zijn kop kan oprichten; een kat zonder zicht valt als een steen op de grond. Vanwege zijn zeer wendbare ruggengraat kan de kat zich halverwege de val zo draaien dat zijn poten dichter bij de grond zijn dan zijn kop. Volwassen mensen hebben een aanzienlijk minder wendbare ruggengraat, zoals bergbeklimmers soms tot hun schade moeten vaststellen.

Bij sommige mensen moet ik altijd onwillekeurig aan de righting reflex denken, in figuurlijke zin. Het maakt niet uit in wat voor penibele situaties ze verzeild raken, uiteindelijk komen ze toch weer op hun pootjes terecht. Zo ook Bertje, een van de mannen die nu schuin voor me in het klaslokaal zit. Nadat de schoolbel is gegaan ten teken dat het uur voorbij is, lopen we samen de trap af in de richting van de aula, voor de theepauze. In tien minuten praat hij me bij over de meest recente verwikkelingen in zijn leven, waarvan in het afgelopen uur bij de publieke ondervraging alvast de contouren zijn geschetst.

Als Albertus Maria betrad hij onze eerste klas, lang geleden. Omdat hij een klein manneke was en bleef, werd hij al snel Bertje genoemd. Zijn vader bezat een moeizaam lopende speciaalzaak in elektrische apparaten, variërend van strijkbouten en radio's tot stofzuigers en televisies. Zieltogend onderging hij hetzelfde lot als de buurtkruidenier ten opzichte van de opkomende supermarkt. Bij de grote ketens voor elektronische apparatuur kon men veel ruimer en dus goedkoper inkopen dan Bertjes vader. De jonge mensen uit de buurt kwamen hooguit advies vragen bij de vakman, maar gingen voor de aankoop schielijk naar de apparatenreus twee straten verder. Vooral bejaarde moedertjes met knoppenvrees – voor wie Bertjes vader thuis alles installeerde zodat ze alleen nog maar het apparaat aan hoefden te zetten en bij wie hij desnoods 's avonds na het eten nog even langsging als het instrument het onverhoeds liet afweten – deden hun aankopen bij hem; zij en een enkele kapitaalkrachtige burger die vond dat hij de middenstand moest steunen en dat het onfatsoenlijk was om bij de speciaalzaak informatie in te winnen om vervolgens voor een paar centen voordeel naar een andere zaak over te lopen. Met een dergelijke lage omzet was het niet verwonderlijk dat Bertjes vader niet het laatste model televisietoestel in de etalage had staan, een reden temeer voor de jongeren om de zaak te mijden. Je zag zelfs in die tijd al de onweerswolken hangen boven de winkel, maar toch duurde het nog vijftien jaar voordat de biljetten met ALGEHELE OPHEFFINGSUITVERKOOP op de ramen verschenen.

Bertje was een geboren ondernemer. Regelmatig gebeurde het dat een apparaat uit zijn vaders winkel zo verouderd of zelfs ondeugdelijk was dat Bertjes vader het maar als verlies afschreef. Dat was het moment waarop de zoon zijn kans rook. Hij sleutelde even aan het apparaat zodat het (meestal tijdelijk) weer werkte en nam het mee naar school waar hij het in de pauze voor een vriendenprijsje verpatste aan een medeleerling. Bij die gelegenheid kregen we de eerste inkijk in Bertjes talent. Hij prees het artikel aan als een marktkoopman die de klanten zelfs bij rotte sinaasappelen nog het gevoel geeft dat ze een buitenkansje in de wacht hebben gesleept. Hij koos zijn woorden zo dat je zijn radio of stopwatch ging begeren, al had je er thuis al een. Je hebt van die mensen die zelfs Eskimo's nog kunnen wijsmaken dat ze dringend om een ijskast verlegen zitten. Bovendien zakte hij altijd aanzienlijk in de prijs, iets wat hij volgens eigen zeggen natuurlijk alleen bij schoolvrienden deed. De koper had daarmee het gevoel dat hij het apparaat voor de helft van de prijs had gekregen, terwijl ieder bedrag pure winst was voor Bertje, die het apparaat immers uit de vuilnisbak had gelicht. Er waren wel eens kopers die na korte tijd met klachten bij hem terugkwamen, maar dat loste hij altijd soepel op, meestal door het instrument weer tijdelijk op te lappen en als genoegdoening een gratis wekkertje aan te bieden.

Zijn handelsgeest bleek niet alleen uit deze schaduwwinkel die hij dreef. Bertje snoof in alles een mogelijkheid om geld te vergaren. In de eerste klas haalde hij nog zelf oude kranten op die hij voor een dubbeltje per kilo wegzette. Maar al snel had hij een legertje kinderen gerekruteerd die voor hem de kranten ophaalden en dan een stuiver per kilo beurden. Zo liep hij binnen zonder zelf een vinger uit te steken, het enige waarop hij moest letten was dat de ophalers tevreden bleven met hun loon en geen lucht kregen van zijn commissie.

Na het eindexamen ging Bert economie studeren, dat stond voor hem al jaren vast. Omdat de zaak van zijn vader nauwelijks inkomsten verschafte moest hij wel allerlei bijbaantjes aannemen. Dat vond hij echter geen enkel probleem. In het weekend en 's avonds kelnerde hij in grote hotels of casino's die hij zorgvuldig had geselecteerd omdat daar voor hem de kans het grootst was om succesvolle zakenlieden en bankiers tegen te komen. Terwijl hij een consumptie bij een grijzende heer neerzette die zat te wachten op degene met wie hij had afgesproken, knoopte Bert een praatje aan en verkeerde algauw op vertrouwelijke voet met de man. Zo bouwde hij aan een netwerk waar hij de jaren daarna veel plezier van zou ondervinden.

Na zijn studie kwam hij in dienst van een kleine maar gedistingeerde firma van vermogensbeheerders waar hij onder de klanten regelmatig zijn kennissen uit de grote hotels tegenkwam. Ze hadden lol in die gisse jongen en hielpen hem vooruit. Toen Bertje na een aantal jaren besloot dat hij eigenlijk ook wel zonder de firma kon opereren en beter voor eigen rekening kon gaan werken, ging een aantal klanten van het eerste uur met hem mee.

In de jaren negentig beleefde hij gouden tijden. Hij opereerde als vermogensbeheerder van enkele flinke klanten uit zowel binnen- als buitenland. De markt trok aan dus zelfs een aap kon nog winst maken; de miljoenen stroomden binnen. Toen de dotcombubbel uiteenspatte bleek dat hij hier en daar verkeerd gegokt had en te veel voor de snelle winst was gegaan, maar gelukkig waren zijn beleggingen goed gespreid en krabbelde de zaak na die kleine dip weer snel op. Hij voerde inmiddels het beheer over honderden miljoenen euro's van zijn klanten.

Totdat in 2008 de markt werkelijk ineenstortte. Bertje was een vakman en had de bui al zien aankomen, dus hij had conservatief belegd. Maar zelfs met zijn inzicht kwamen de beleggingen in de min uit zodat de klanten het idee hadden dat ze hun kapitaal beter in een oude sok hadden kunnen opbergen. Aanvankelijk was het slechts één klant die zijn geld terug wilde trekken. Dat kapitaal kon Bert nog wel bij de banken losweken. Maar toen meer klanten hun vermogen elders wilden beleggen kwam hij in de problemen. Een deel van het geld van de klanten bleek verdampt. Een enkeling was daar niet blij mee en spande een rechtszaak aan tegen Bert, wegens wanprestatie. Dat veroorzaakte weer zo veel negatieve publiciteit dat andere klanten ook meenden dat ze snel hun verlies moesten nemen voordat ze helemaal niets meer terugkregen. Omdat wereldwijd ook een dergelijk verlies aan vertrouwen was opgetreden konden banken geen krediet meer verschaffen, konden daardoor bedrijven niet meer investeren, daalden de koersen en leden de aandeelhouders van de bedrijven verlies. Bertjes bedrijf raakte in een negatieve spiraal en op het laatst was er geen andere uitweg meer dan een faillissement. Dertig jaar nadat hij was gaan studeren was hij al het kapitaal dat hij in zijn leven had verdiend weer kwijt.

De negatieve spiraal waarin Berts bedrijf terechtkwam is volstrekt onlogisch volgens de economische modellen van de afgelopen eeuw die er stelselmatig van uitgingen dat het gedrag van mensen ten aanzien van geld slechts gedreven wordt door één principe: het streven naar een maximale opbrengst. Niets blijkt minder waar. Economisch gedrag is geen koele rekensom maar een door hartstocht gedreven besluitvorming. Zo ook bij het bedrijf van Bert. De feiten zijn dat als iedereen rustig afgewacht had en zijn geld nog tien jaar had laten uitstaan, er een gerede kans was geweest dat de koersen zich hersteld hadden, de waarde van de goederen was gestegen en de opbrengst in ieder geval gunstiger was geweest dan het verlies dat men nu pakte. Maar in de reële economie werkt het zo niet. Als iets duidelijk is geworden de laatste jaren dan is het wel dat er een voortdurende strijd is tussen emotionele en rationele aspecten bij het nemen van beslissingen die met geld te maken hebben. Hier is niets ongrijpbaars aan, het hangt af van hersencircuits die ook een rol spelen bij andere situaties waarin emotie en ratio samenspelen, zoals de beslissing of je nu wel of niet moet stoppen met roken of de gedachte om na vijftien jaar trouwe dienst maar eens van baan te veranderen. Het gaat om risico's, onzekerheid, om de afweging of zaken je in meer of mindere mate persoonlijk raken en om het contact tussen mensen. De neuro-economie is een sterk opkomende richting op het grensvlak van economie, psychologie en neurobiologie die de interactie tussen emotie en ratio op gebied van economie onderzoekt en vaststelt welke hersencircuits daarbij een rol spelen.

Het leuke aan neuro-economie is dat je heel goed bij jezelf te rade kunt gaan wat je onder bepaalde omstandigheden zou doen, om inzicht te krijgen in het onlogische gedrag dat mensen vaak tentoonspreiden wanneer het gaat om winst of verlies. Zo reageren mensen bijvoorbeeld veel sterker op nieuwe dan op reeds lang bekende risico's. De schrik slaat ons om het hart als er een terroristische aanval dreigt, maar we stappen zonder aarzelen op een keukentrapje ondanks het feit dat er jaarlijks veel meer mensen door simpele huis-tuin-en-keukenongelukken overlijden dan bij een terroristische aanslag. Natuurlijk weten we al jaren dat banken ons minder uitbetalen dan ze zouden kunnen doen – waar halen ze anders hun winst vandaan? – maar als tijdens een televisieprogramma nog eens duidelijk wordt toegelicht hoezeer we genept worden, staan de kranten er de volgende dag bol van.

In het geval van Bert stond de vraag centraal in hoeverre mensen bereid zijn om met onzekerheid over winst en verlies om te gaan. De wijze waarop informatie daarover verstrekt wordt, blijkt van groot belang te zijn voor de keuzes die we gaan maken. Stel, je krijgt te horen dat je 900 euro gaat verliezen. Men legt je twee keuzes voor: allereerst kun je kiezen uit de mogelijkheid dat ofwel de bank je 300 euro geeft om het risico af te kopen ofwel dat je een derde kans hebt om de 900 euro toch te behouden maar tegelijk twee derde risico loopt dat je met lege handen achterblijft. De meeste mensen zullen het zekere voor het onzekere nemen en kiezen voor de 300 euro; iets is immers beter dan niets. De tweede keuze die je wordt geboden is als volgt: ofwel je accepteert dat je 600 euro kwijt bent ofwel je neemt de gok en hebt een derde kans om helemaal niets te verliezen dan wel twee derde kans dat je alles verspeelt. Als je het zo formuleert zal de meerderheid ervoor kiezen om toch maar een gokje te wagen, want 'nee heb je en ja kun je krijgen'. Waarom zou je een schijntje accepteren als je een kans hebt om alles te behouden? Dit is verregaand onlogisch omdat het accepteren dat je 300 euro krijgt hetzelfde is als dat je met zekerheid 600 euro verliest. Maar blijkbaar schuwen mensen risico's als er geld verkregen of behouden kan worden, en zijn ze bereid tot een gok als ze toch verliezen. Volgens de economische modellen van de vorige eeuw zou dit niet moeten uitmaken. Het feit dat mensen in werkelijkheid onlogisch handelen toont dat de modellen niet deugen en dat het noodzakelijk is om emotie mee te wegen bij het voorspellen van menselijk gedrag, juist als het gaat om winst en verlies.

De hypothetische situatie die net beschreven is wijkt echter op verschillende punten af van de werkelijkheid. Om te beginnen hebben we zelden met bankdirecteuren te maken die ons dit soort keuzes voorleggen. Er heerst bovenal onzekerheid, totdat de curator alle papieren heeft doorgevlooid. Misschien gaat de bank wel op de fles en houd ik helemaal niets over, denken de pessimistische geesten onder ons, om nog maar te zwijgen over alle andere lijken die nog in de kast kunnen zitten. De invloed van deze onzekere uitkomst op onze hersenactiviteit is onder gecontroleerde condities in het laboratorium gemeten. Hierbij bleek dat vooral de door angst gedreven amandelkernen sterkere activatie vertonen bij situaties waarin we volstrekt in het duister tasten, vergeleken met condities waarin we in ieder geval een idee hebben hoe groot de kans is dat er flink verlies wordt geleden. Daarnaast was ook het voorste (frontale) deel van de hersenschors actief, een gebied dat onder meer van belang is bij de integratie van rationele en emotionele afwegingen.

Wat ook afwijkt van de werkelijkheid is dat je zelden alle informatie op hetzelfde moment beschikbaar hebt. Meestal moeten mensen afwegingen maken waarbij vooral de toekomst ongewis is. Neem je je verlies nu of wacht je nog een jaar, met de kans dat het verlies nog groter is maar ook een flinke mogelijkheid dat het toch allemaal goed komt? De neiging is om je te laten leiden door wat zich op korte termijn afspeelt, waarbij een hersencircuit de boventoon speelt dat actief wordt bij beloning. In het hele dierenrijk zijn alleen mensen in staat om die impuls te overwinnen en bewust te wachten op wat de toekomst gaat brengen, een hoogontwikkelde functie die afhangt van de fronto-pariëtale schors (zie p. 182).

Emotionele invloeden spelen ook sterk mee als het gaat om het accepteren van beloning of verlies. We kunnen maar moeilijk accepteren dat bij het verdelen van geld ongelijkheid optreedt; dat je bij een krimpende markt met een te kleine opbrengst wordt afgescheept. Als mensen dit ervaren wordt bij hen een deel van de hersenschors actief dat geassocieerd is met een sensatie van pijn. Dit gebeurt vooral als we ons onrechtvaardig behandeld voelen door een ander persoon; het is minder uitgesproken als een anonieme instantie je in de steek laat. Hoe meer dit deel van de hersenen wordt geactiveerd, hoe minder men bereid is om een onrechtvaardig aanbod te accepteren: het is bijna letterlijk te pijnlijk. Deze emotionele opwelling kan alleen onderdrukt worden door met denkkracht het gevoel dat men bedonderd is te overwinnen, door het bewust te aanvaarden, een rationeel proces dat weer gekoppeld is aan de werking van een hoogontwikkeld onderdeel van de hersenen, de frontale schors.

Zo blijkt ons handelen met geld afhankelijk van een door emoties gedreven eerste respons die soms, maar lang niet altijd, onderdrukt kan worden door de werking van hoger ontwikkelde hersengebieden die betrokken zijn bij een gebalanceerde afweging.

De emotionele respons in de economie, de angst van de klanten, werd de ondergang van Berts bedrijf. Maar ook van Bertje zelf?

Bertje heeft gelukkig een natuurlijke aanleg voor de righting reflex. 'Ik had een deel van mijn geld op een andere manier veiliggesteld,' zegt hij nu, 'dus helemaal zonder zit ik nou ook weer niet. En het fijne aan de situatie is dat ik geen enkele verplichting meer heb, ik heb opeens voor alles tijd.' Het is duidelijk dat Bert van alles de zonnige kant inziet. Hij vervolgt: 'Ik ben maar eens begonnen om mijn ervaringen van de afgelopen tien jaar op papier te zetten. Het is een spannende thriller geworden, met voor de goede verstaander heel wat sappige details over bekende Nederlanders. Het was wel even lastig om er een uitgever voor te vinden, want die jongens willen financieel natuurlijk ook geen risico nemen, daar kan ik inkomen. Daarom heb ik uiteindelijk zelf maar een uitgeverijtje opgezet, dat bleek veel handiger. Mijn boek komt over twee maanden uit. Ik heb nog de nodige contacten in de media, dus zo kan ik in heel wat televisieprogramma's komen om het boek aan te prijzen. Zoiets verkoopt vast goed, de mensen smullen ervan als een ander in de sores raakt.' Hij wrijft enthousiast in zijn handen.

Nee, met Bertje komt het wel goed. Als hij ijskasten kan slijten aan Eskimo's, raakt hij toch zeker met gemak honderdduizend exemplaren van zijn levensverhaal kwijt?

Een noodloterij

AMYOTROFISCHE LATERALE SCLEROSE

En dan zijn er de verhalen van de leerlingen die er vandaag niet bij zijn. Een van die verhalen wordt me duidelijk als ik met een kop thee in de hand ga staan bij een groepje vrouwen, van wie ik er een herken van vroeger. Het gesprek gaat over Els, een klasgenote die ik nog niet gezien heb vandaag. Dat kan ook niet, zo blijkt uit het gesprek, want Els is twee jaar geleden overleden.

Als je me vijfendertig jaar geleden had gevraagd: 'Wie zal door het noodlot getroffen worden?', dan had ik waarschijnlijk zonder aarzelen geantwoord: Els. Er zijn van die mensen die voor de pech geboren zijn, die altijd de hoofdprijs winnen in een loterij met uitsluitend nieten. Gemiddeld worden we ongeveer tachtig jaar in Nederland, maar zoals je opa hebt die kettingrokend, zuipend en lekkere wijven naaiend de honderd haalt, zo heb je ook mensen die oppassend leven maar ver onder het gemiddelde af moeten haken. Het is oneerlijk, je zou hopen dat iedereen zijn aandeel van geluk en ongeluk krijgt waar hij of zij recht op heeft, maar de voorzienigheid beslist anders. Bij Els lag de balans stelselmatig aan de verkeerde kant.

Voordat ze bij ons op school kwam was het al begonnen. Haar vader was overleden toen ze twee was en sinds die tijd woonde ze alleen met haar moeder in een simpele portiekwoning. Op zichzelf was het niet zo uitzonderlijk dat kinderen uit de klas in een huis zonder vader woonden, want meer dan de helft van de ouderparen was gescheiden, je moest je bijna excuseren als je ouders in harmonie bijeen leefden. Maar veel van die gescheiden moeders vonden na verloop van tijd weer een leuke man, meestal een paar jaar nadat vader weer getrouwd was met een jongere versie van de eerste vrouw en voor halfbroertjes of -zusjes had gezorgd. De meesten van de klasgenoten uit dergelijke dubbelgezinnen klaagden niet, want ze gingen twee keer in de zomer op vakantie en vierden Sinterklaas bij de ene ouder en Kerstmis (met cadeaus!) bij het andere stel. Maar de moeder van Els ging nooit uit, keek zorgelijk en bleef alleen. Ik vermoed dat ze licht depressief was en daarnaast van een klein pensioentje moest rondkomen, geen leuke combinatie.

Els was een stille leerling. Ze had één goede vriendin met wie ze altijd optrok; die was bijna net zo stil en teruggetrokken als Els. Ze stonden nooit bij de groepen met populaire meisjes en hielden zich al helemaal afzijdig van de jongens uit de klas. Els was overigens wel aardig. Als zo'n populair meisje geen tijd had gehad om haar huiswerk Frans te maken leende Els grootmoedig haar schrift uit en hield zelfs haar mond als de overschrijver eerst een mondelinge beurt kreeg, toevallig gevolgd door Els die dan een identieke vertaling moest voorlezen en zonder aarzeling zei dat ze het had overgeschreven van de ander. Zoiets werd wel gewaardeerd door het populaire meisje maar nu ook weer niet beloond met vriendschap.

Tijdens een koude winter gingen we met de gymnastieklerares schaatsen op een kanaal in de buurt van de school. De jongens sloofden zich uit en schaatsten met meer bravoure dan techniek het kanaal af. Een enkeling zoals Sietze die als elfjarige uit Friesland naar de Randstad was verhuisd kon er echt wat van. De meeste meisjes draaiden vlak bij de plaats waar we waren opgestapt rondjes op hun kunstschaatsen. Opeens groepten ze samen en keken naar iets wat op het ijs lag. De gymnastieklerares schaatste erheen en daar lag Els op de grond, op haar rug, haar ogen dicht. Na enkele minuten kwam ze weer bij, maar was duizelig en misselijk toen ze opstond. In het ziekenhuis bleek dat ze een flinke hersenschudding had opgelopen, in die tijd reden om zes weken plat in een donkere kamer te moeten liggen. Haar hartsvriendin en de klassenleraar waren de enigen die haar opzochten. Toen ze weer terugkwam had ze een achterstand in de leerstof opgelopen, maar met hard werken ging ze toch net over.

Die Els, als er iets gebeurde in de klas was zij het slachtoffer. Tijdens de reis naar Rome in de vijfde klas had een onverlaat door onze spullen in het hotel gerommeld, terwijl wij door de zinderend hete stad sjokten. Bij terugkomst bleken alleen wat kleren gestolen en één paspoort – dat van Els. Van de vijf dagen in Rome bracht ze bijna twee dagen op politiebureaus en ambassades door.

Toch zat het haar ook wel eens mee. Ze was niet een erg sterke leerling, maar ze slaagde zonder onvoldoendes, met allemaal van die cijfers die na middeling van het schoolexamen en het landelijk examen net naar de bovenkant uitvallen. Het hadden ook allemaal onvoldoendes kunnen zijn als ze een fractie lager had gescoord bij het landelijk examen. Met het diploma op zak ging ze vervolgens Japans studeren en dat was het laatste wat ik over Els had gehoord. Tot nu dan. In twintig minuten hoor ik in hoofdlijnen hoe het haar verder verging; de details zijn later ingevuld.

Het blijkt dat ze haar studie Japans na enkele jaren had afgebroken. Ze vond de taal erg mooi maar kon niet aarden in Japan, toen ze voor het eerst tijdens een studiereis werd geconfronteerd met haar plaats in de Japanse samenleving, als alleenstaande vrouw. Bij terugkomst in Nederland had ze haar studie omgebogen naar Engels, met als bijvak Japans. Ze leefde daarna van het vertalen van technische beschrijvingen van Japanse apparaten naar het Engels en Nederlands. Getrouwd was ze niet, ze leefde samen met een vriendin, maar niet de hartsvriendin van school die inmiddels in Australië woont, getrouwd en moeder van vijf kinderen.

Het begon ongeveer vijf jaar geleden. Toen ze op een avond thuiskwam en de sleutel in het slot stak lukte het haar niet om de sleutel naar rechts te draaien, haar rechterhand deed gewoon niet wat ze in gedachten had. Ze was verbaasd, draaide vervolgens de sleutel met haar linkerhand om en dacht verder niet meer aan het voorval. Twee dagen later werd ze er echter aan herinnerd toen ze met haar rechterhand een glas oppakte van het aanrecht en het zo uit haar hand liet vallen. Heel geleidelijk slopen meer van dergelijke kleine voorvallen in haar leven totdat ze zich realiseerde dat dit niet meer normaal was. Ze ging naar de huisarts die zei dat ze over een maand maar eens terug moest komen, in de veronderstelling dat de meeste aandoeningen vanzelf wel weer overgaan. Maar ook in die weken daarna spookte haar lichaam verder. Verschillende malen had ze weer moeite met de sleutel en onverwachts had ze ook kramp in haar rechterhand. Toen ze na een maand terugkwam bij de huisarts nam deze haar klachten wel heel serieus en stuurde haar meteen door naar een neuroloog. Ze raakte verstrikt in een woud van vragenlijsten, bloedonderzoeken, elektrodes en spiertesten. Al met al waren er bijna negen maanden verstreken sinds het eerste voorval met de sleutel voordat ze definitief de diagnose hoorde, een periode waarin de verschijnselen zich langzamerhand opstapelden. Ze kwam samen met haar vriendin op het afgesproken tijdstip bij de arts die haar vertelde dat men amyotrofische laterale sclerose bij haar had geconstateerd. Die ingewikkelde term zei haar helemaal niets. Aanvankelijk luisterde ze naar het toekomstbeeld dat de arts haar stap voor stap schetste, maar haakte geestelijk af vanaf het moment dat hij aangaf dat in het laatste stadium van de ziekte ook haar ademhalingsspieren zouden worden aangetast en dat tegen die tijd samen met haar besloten moest worden of men kunstmatige ademhaling zou toepassen om haar leven nog enige tijd te verlengen. Bij dat vooruitzicht van een langzaam verlammend lichaam bleef ze hangen, die gedachte maalde maar rond. Met een brochure in haar hand nam ze afscheid van de neuroloog en liet zich door haar vriendin weer naar huis geleiden.

Amyotrofische laterale sclerose, ALS, de meest voorkomende motorneuronaandoening, ook wel bekend als Lou Gehrigs ziekte, vernoemd naar een bekende Amerikaanse honkballer die in de jaren dertig van de vorige eeuw aan ALS is overleden. Bij ALS gaan de zenuwcellen die betrokken zijn bij beweging (motoriek) langzaam te gronde, zowel de cellen in de hersenen als die in het ruggenmerg. Er is een waaier van verwante aandoeningen waarbij dit fenomeen in allerlei gradaties voorkomt, al dan niet gekoppeld aan sterfte van cellen in andere hersengebieden. De meeste mensen die het treft zijn al wat ouder, zo tussen 55 en 75 jaar, maar in principe kan de ziekte op ieder moment in het volwassen leven toeslaan. Opnieuw had Els dus pech, ze was twintig jaar jonger dan het gemiddelde. Er zijn aanwijzingen dat vooral mensen uit families waar ALS dominant overerft de ziekte op wat jongere leeftijd krijgen, maar daar was geen sprake van in het geval van Els. Ze behoorde bij de ruim 90 procent van de ALS-patiënten die zomaar, *out of the blue*, door de ziekte worden getroffen. De helft van de mensen overlijdt drie jaar na de eerste klachten; slechts

20 procent leeft langer dan vijf jaar. Op ieder willekeurig moment zijn er ongeveer 5 op de 100.000 mensen – wereldwijd, deze ziekte stoort zich niet aan landsgrenzen – die de ziekte treft. Dat lijkt niet zoveel maar de kans dat iemand tijdens het leven ALS krijgt is ongeveer 1 op 1000 en dat klinkt heel wat minder zeldzaam.

De symptomen dienen zich sluipend aan maar worden steeds erger. Aanvankelijk uit de ziekte zich in onduidelijke spierkrampen, spierzwakte en vermoeidheid. Dat is nog niet verontrustend. Sluimerend komen er echter motorische probleempjes bij, zoals een arm of been dat niet 'wil', men struikelt over een drempel of heeft moeite om een schoenveter te strikken. Het zijn vreemde maar nog steeds geen schokkende incidenten. Meestal is dit wel het stadium waarin iemand maar eens naar de huisarts gaat. De diagnose vereist uitgebreid onderzoek door een neuroloog, omdat allerlei aandoeningen met deels overlappende symptomen moeten worden uitgesloten; totdat duidelijk is dat er sprake is van uitgebreide specifieke problemen met beweging die veroorzaakt worden door verminderde werking van cellen in de hersenen en het ruggenmerg. Tegen die tijd kan al uitval optreden van zenuwbanen die van belang zijn bij de spraak, zodat de patiënt in toenemende mate moeite krijgt te communiceren met de omgeving. Het kauwen en doorslikken van voedsel wordt een probleem, waardoor gewichtsverlies optreedt. En ten slotte – het punt waarop Els niet verder wilde denken – raakt ook de activatie van ademhalingsspieren aangetast. Aanvankelijk nog vooral 's nachts, zodat ademhalingsondersteuning verlichting biedt, maar tenslotte dag en nacht, tot het moment van overlijden.

De pathologie (de schade aan cellen in hersenen en ruggenmerg) van ALS is vrij goed in kaart gebracht, maar over de oorzaak bestaat nog veel onzekerheid. Er zijn families waar ALS in dominante vorm overerft. Dit wil zeggen dat als van de twee kopieën die je van een bepaald gen bezit één een foute code bezit je de ziekte altijd ontwikkelt. Gemiddeld heeft daarom iemand in zo'n familie 50 procent kans dat hij of zij ALS krijgt. Men heeft in dergelijke families inmiddels een aantal genen met fouten gevonden die aanleiding kunnen geven tot het ontwikkelen van ALS. Het zijn onverwachte genen, je had van tevoren niet kunnen bedenken dat daar nu juist de fout in zou zitten die aanleiding geeft tot deze ernstige ziekte. Zo blijkt een deel van de families een fout te hebben in het superoxide-dismutase-1, een eiwit dat de omzetting bevordert van waterstofperoxide naar schadelijke zuurstofradicalen onder invloed van koper of zink. Waarom een dergelijke fout leidt tot het afsterven van motorcellen is onduidelijk; het komt in ieder geval niet omdat het eiwit verminderd actief is. Fouten in het superoxide-dismutase-1 zijn echter vrijwel niet aangetroffen bij het overgrote deel van de ALS-patiënten waar de ziekte niet familiair overerft. Een tweede gen waar onlangs fouten in zijn gevonden is TDP-43; het codeert voor een eiwit dat betrokken lijkt te zijn bij de werking van RNA (de tussenstap tussen een stuk DNA en het eiwit dat daaruit gevormd wordt). Bij sommige families met ALS zijn mutaties in het TDP-43-gen beschreven die aanleiding geven tot een foute vorm van het eiwit. Interessant is dat bij de spontane gevallen van ALS (meer dan 90 procent van de patiënten) ook vaak een stoornis plaatsvindt in de vorming van het TDP-43-eiwit zodat het zich abnormaal opstapelt in de motorcellen. Het is heel goed mogelijk dat er in de komende jaren nog meer van dergelijke risicogenen worden aangetroffen bij ALS-patiënten die iets duidelijker maken waarom sommige mensen zomaar het slachtoffer worden van deze ziekte.

Nu enkele risicogenen beschreven zijn hebben onderzoekers meteen diermodellen ontwikkeld waar vergelijkbare genetische fouten in zijn aangebracht. Daaruit zijn aanwijzingen gekomen wat er achtereenvolgens gebeurt voordat de motorcellen het loodje leggen. Een cruciale factor blijkt te zijn dat de chemische boodschapper die normaal de activatie van motorneuronen verzorgt, glutamaat, niet netjes na gedane zaken wordt opgeruimd. Normaal gesproken zou na activatie van motorneuronen het glutamaat weggepompt moeten worden in naburige steuncellen. Maar bij dieren met een fout gen gebeurt dit niet: het eiwit dat de pompfunctie bezit is bijvoorbeeld in te lage hoeveelheden aanwezig of de steuncellen werken niet naar behoren. Daarnaast verloopt de afbraak van foute eiwitten niet goed en kan er iets mis zijn met de mitochondriën, onderdelen van de cel die de energiehuishouding verzorgen. Het gevolg van al deze processen is dat er een onomkeerbaar aftakelingsproces wordt ingezet, waardoor uiteindelijk de cel te gronde gaat. Het lichaam heeft zelf wel mogelijkheden om zich te beschermen tegen een dergelijk aftakelingsproces, zoals door het vrijmaken van groeifactoren, maar in de ALS-muizen schieten deze factoren tekort.

Met deze kennis in de hand is men ook allerlei behandelingen gaan testen, die enigszins tot redelijk succesvol zijn gebleken bij de muizen. Zo heeft men de mitochondriële functie wat opgepept, stoffen gegeven die het aftakelingsproces tegengaan, extra groeifactoren ingebracht of met genetische modificatie gezorgd dat er een hogere hoeveelheid glutamaatpompen in de cellen aanwezig is. Het ziekteproces vertraagde en de muizen bleven langer leven. Helaas blijkt tot nu toe bij mensen geen enkele van deze experimentele therapieën te werken. Er is slechts één geneesmiddel dat een beetje helpt, een middel dat de schade tegengaat die veroorzaakt wordt door de werking van glutamaat. Het verlengt het leven van de patiënten met enkele maanden, een uiterst bescheiden succes maar het is tenminste een begin. Hopelijk zal een combinatie van verschillende medicijnen in de nabije toekomst een beter effect laten zien. Wat op dit moment rest, is uitgebreide zorg om niet alleen de patiënt maar ook de omgeving te ondersteunen en het leven draaglijker te maken.

Na dat vreselijke moment waarop Els hoorde wat haar te wachten stond had ze alles wat ze kon vinden over ALS gelezen en diep nagedacht. Ze had zichzelf met uiterste wilskracht gedwongen verder te denken dan het laatste moment waarover de dokter had gesproken, het moment waarop haar ademhalingsspieren langzaam zwakker zouden worden. Ze las dat de ademhaling gelukkig niet zomaar plotseling stopt of dat je stikt: door de verminderde ademhaling verhoogt de concentratie van kooldioxide waardoor patiënten (vooral 's nachts) in een coma komen of overlijden.

Na veel denken was ze ten slotte tot een besluit gekomen: ze wilde de komende tijd, zolang ze nog relatief goed functioneerde, nog een aantal dingen doen waar ze nooit aan toe was gekomen. Zo wilde ze samen met haar vriendin naar Parijs en ook nog een cruise maken over de Middellandse Zee. Bescheiden wensen, maar twee dingen waar ze altijd naar verlangd had en waarvan ze van plan was geweest om dat ooit, in de niet al te verre toekomst, nog eens te doen. In zekere zin was ze blij dat ze werd gedwongen om het nu te doen, wie weet was het er zonder haar ziekte wel nooit van gekomen. Verder stelde ze vast dat ze geen zin meer had in werken. Waarom zou ze? In die twee, drie jaren die haar nog restten zou ze het geld dat op de bank stond niet opmaken en ze hoefde het voor niemand achter te laten. Ze had geen kinderen, geen naaste familie en haar vriendin was financieel onafhankelijk. Weg met dat werk, dus. Afgezien van die twee reizen zou ze de tijd thuis doorbrengen, samen met de paar mensen om wie ze veel gaf, zolang ze tenminste nog energie had en enigszins redelijk kon praten. Als het praten moeizaam zou worden, als het ademhalen een worsteling werd, op dat moment, door haarzelf gekozen, wilde ze stoppen met leven. Ze overlegde het met haar vriendin, besprak het met de huisarts en toen haar wensen op papier stonden voelde ze zich vreemd genoeg bevrijd en weer even vol energie.

De reis naar Parijs en de cruise zijn beide doorgegaan. Het waren niet alleen maar ups, want af en toe was ze te moe om te genieten van alle mooie dingen. Maar over het geheel genomen was het wat ze zich ervan had voorgesteld. Nog vijf maanden heeft ze daarna intens genoten van haar leven, van de tijd met haar vriendin en alles besproken wat ze nog wilde zeggen, op het laatst steeds meer gebruikmakend van een computer omdat haar stem te zeer vervormd raakte. Toen was het genoeg en hebben de anderen haar verlost. Zo is ze ten slotte overleden, stil en waardig, precies zoals ze ook in het leven had gestaan.

Sport is oneerlijk

VARIATIE TUSSEN INDIVIDUEN

Terwijl de theekopjes worden opgehaald en de tafels worden leeggeruimd zie ik in de verte Edgar de gang in lopen. Het verbaast me eigenlijk dat hij me nu pas opvalt, want met zijn twee meter vijftien zie je hem toch niet zo gemakkelijk over het hoofd. In het bredere wereldbeeld kunnen we vaststellen dat Nederlandse mannen nogal uit de kluiten gewassen zijn. Toch steekt Edgar in iedere menigte nog eens een kop boven de rest uit. Hij zat in het schooljaar boven me, dus eigenlijk kende ik hem nauwelijks, maar door zijn lengte viel hij ook toen al op. Edgar beleefde altijd *his finest hour* tijdens het jaarlijkse sporttoernooi, in het bijzonder bij het onderdeel basketbal. Waar de rest van de leerlingen met veel stuurmanskunst de bal door het net moest mikken, legde Edgar de ballen er bij wijze van spreken met de hand in, als paaseieren in een mandje. Ook privé basketbalde hij veel; uit de krant heb ik later begrepen dat hij niet onverdienstelijk op het hoogste niveau in de landelijke competitie speelde waar hij inmiddels in het gezelschap verkeerde van heren van nog groter formaat. De kleine mannetjes die iets willen bereiken in deze sport moeten zich noodgedwongen beperken tot de rol van scheidsrechter.

Regelmatig, vooral rond grote sportevenementen zoals de Tour de France of de Olympische Spelen, breekt alom een discussie los over het gebruik van doping. De opwinding over dopinggebruik spitst zich er vooral op toe dat het zo oneerlijk is om die middelen te gebruiken, dat het de competitie vervalst. Nu ben ik niet erg voor het gebruik van doping, maar dan vooral omdat er voor de betreffende sporter gezondheidsrisico's aan vast kunnen zitten. Als wielrenners bijvoorbeeld door het gebruik van amfetamines hun grenzen niet meer kennen en doorfietsen tot ze er letterlijk dood bij neervallen, moet je hen tegen zichzelf in bescherming nemen, zoals we ook voorschrijven dat je in de auto veiligheidsgordels moet dragen. In het gebruik van doping zitten allerlei korte- en langetermijnrisico's verscholen en vooral tegen de gevaren op iets langere termijn moet je een sporter beschermen, omdat de prestatieverbetering direct is en het mogelijk schadelijke gevolg pas jaren later optreedt, iets waar de sporter zich op het moment van het toernooi niet zo mee bezighoudt. Zo is bijvoorbeeld bekend dat anabole steroïden, synthetische stoffen die op het mannelijke geslachtshormoon testosteron lijken, een nadelige verschuiving in de cholesterolbalans met zich mee kunnen brengen waardoor je als stevige gebruiker op langere termijn een grotere kans loopt op verstopping van je bloedvaten. Als gewichtheffer van vijfentwintig zal dat je een zorg zijn, maar als ex-gewichtheffer van vijfenveertig zit je met de gebakken peren.

Dopinggebruik is dus niet ongevaarlijk. Maar oneerlijk? Dan ga je toch voorbij aan het feit dat de winst die je met doping behaalt in het niet valt bij de voordelen die door de natuur aan sommige individuen zijn toebedeeld. Sport, althans zoals het nu bedreven wordt, is nu eenmaal per definitie oneerlijk, omdat niet iedereen een gelijke kans heeft om te winnen. Wat we nooit zouden accepteren bij een loterij, namelijk dat de buurman met dezelfde inzet een vijfmaal grotere kans heeft op een prijs, vinden we doodnormaal als het sport betreft.

Neem nu een zwemmer met schoenmaat zevenenvijftig, dergelijke mensen bestaan. Deze zwemmer die van nature is uitgerust met een soort zwemvliezen gaat het opnemen tegen iemand met maatje veertig. Is dat eerlijk? Een retorische vraag. Toch is er geen enkel reglement dat verbiedt om met dit soort flippers mee te doen aan wedstrijden. We vinden het allemaal ook heel normaal dat er een zekere selectie op lichamelijke kenmerken plaatsvindt voor bepaalde sporten, al is het maar selectie door succes: degene met het meest geschikte lichaam voor een bepaalde sport wint de prijzen en gaat door, terwijl de rest geleidelijk aan afvalt. We zouden toch raar opkijken als een dwerg meedoet aan hoogspringen of een jonge vrouw van ruim honderd kilo zich toelegt op het kunstrijden op de schaats? Zoals Edgar met zijn twee meter vijftien een voordelige bouw had voor basketbal, zo bestaan er vele sporters die een lichaamsbouw of spiersamenstelling bezitten die hen uitermate geschikt maakt voor een bepaalde sport. Als je er goed over nadenkt, is het heel flauw dat mensen zonder zo'n voordeel geen kans maken op de winst en ook geen gebruik mogen maken van middelen die het verschil wat kleiner maken. Zónder doping houd je eigenlijk een soort competitievervalsing in stand.

En dat is dan alleen nog maar wat je aan de buitenkant kunt zien. In ons lichaam zijn ook veel stoffen aanwezig die bijvoorbeeld betrokken zijn bij de aanvoer van zuurstof, de snelheid van zuurstofopname of het herstel van spieren na beschadiging. Het kan een enorm voordeel zijn bij het bedrijven van sport als dergelijke stoffen in verhoogde mate aanwezig zijn in je lichaam. Ze worden in bepaalde hoeveelheden aangemaakt, afhankelijk van omgevingsfactoren zoals voedingspatroon of de hoogte waarop je verkeert, maar ook afhankelijk van je genetische aanleg. Waarschijnlijk zijn er zeer veel genen die in de juiste combinatie voordeel opleveren voor bepaalde takken van sport, maar er is op dit moment slechts één gen bekend waarvan de meeste studies aantonen dat het werkelijk bij kan dragen aan sportprestaties. Het gaat om het gen voor *angiotensin-converting enzyme* (ACE) dat in verschillende vormen kan voorkomen. Soms is er een extra stukje DNA in het gen gevoegd, een insertie; maar het kan ook gebeuren dat mensen een ACE-gen dragen waar juist een stukje DNA aan ontbreekt, een deletie. Een flink aantal studies laat zien dat de vorm met de insertie onevenredig vaak voorkomt bij mensen die uitblinken in duursporten zoals langeafstandslopers, veel vaker dan bij de doorsneeburger. De andere vorm van het ACE-gen, met de deletie, lijkt juist vaker voor te komen bij sporters die het moeten hebben van krachtsexplosies zoals sprinters, alhoewel de rapporten elkaar op dit punt wat meer tegenspreken. Dragers van de ACE-variant met insertie produceren minder ACE, wat een gunstig effect oplevert voor hun spieropbouw en de werking van hart en bloedvaten tijdens training. Opnieuw kunnen we stellen dat er geen enkel reglement is dat het bezit van deze gunstige ACE-variant bij renners van de marathon verbiedt, wat heel oneerlijk is tegenover de stumpers die toevallig een andere variant hebben.

Kortom, de bouw en functie van ons lichaam, die bepaald worden door een samenspel tussen genetische aanleg en omgevingsfactoren, vertonen een enorme variatie, en dat is een groot goed, want zo zijn er altijd mensen die onder bepaalde omstandigheden in het voordeel zijn en de soort in stand kunnen houden. Zo zijn er ook altijd mensen die uiterst geschikt zijn voor een bepaalde sport.

Wat doen we nu met deze kennis om tot een eerlijke competitie te komen? De meest voor de hand liggende en simpelste aanpak is om te gaan kweken op gunstige eigenschappen. Ons land is groot geworden met het eeuwenlang verbeteren van planten en landbouwgewassen, zodat we nu bloemen hebben met drie rijen bloemblaadjes die bestand zijn tegen allerlei plantenziektes en twee weken na het afsnijden nog steeds fier overeind staan in de vaas, terwijl de oervorm al na enkele dagen verlept over de rand hangt. In de paardenwereld is het ook heel gewoon om met de succesvolste paarden verder te fokken. Bij mensen staat dit fokken echter in een zeer kwade reuk en dat is natuurlijk volstrekt terecht. Op vrijwillige basis kan het zo uitkomen; als twee getalenteerde schaatsers nageslacht verwekken, kijkt niemand vreemd op als daar weer een heel goed schaatsertje uit voortkomt. Maar doorkweken onder dwang schendt een essentiële levensvrijheid van de mens, waarmee deze optie van de baan is.

Selecteren dan maar, op basis van de natuurlijke variatie in genen en de uiteindelijke producten daarvan? Dat kan, zolang diezelfde keuzevrijheid niet geschaad wordt. Een vijfjarige vanwege haar frêle lichaamsbouw en soepele spieren aanraden te gaan turnen kan, maar haar vervolgens verbieden te gaan voetballen is minder leuk. En sport moet toch vooral leuk zijn, al is dat wel een beetje naïef als je de publicitaire en financiële belangen verderop in het traject, op weg naar de topsport, in ogenschouw neemt.

Het probleem van goed gedocumenteerde selectie is dat we nog erg in de kinderschoenen staan wat betreft onze kennis over genetische aanleg voor sport, een van de meest relevante factoren om tot een goede selectie te komen; dat kan nog verregaand geperfectioneerd worden. Gebrekkige kennis staat ook in de weg om dat oneerlijke genetische voordeel dat sommigen onder ons hebben te repareren zodat het wat eerlijker toegaat in de sport. We weten immers nog niet goed waar we ons dan op moeten richten, noch zijn we nu in staat om genvarianten te vervangen door andere die een grotere kans op succes geven. Ik sluit niet uit dat het al geprobeerd wordt, want zolang de dopingcontrole deze manipulaties nog niet kan vaststellen is het een lucratieve aanpak, vooral voor degenen die de sporters een gouden toekomst beloven; maar genbehandeling op grote schaal moet in de sport nog van de grond komen.

In arren moede komen we daarom uit bij het aanbieden van allerlei chemicaliën om de oneerlijke verschillen die nu eenmaal bestaan in de sport wat recht te trekken. De World Anti-Doping Agency en allerlei sportbonden stellen vast wat acceptabele grenzen zijn van onze lichaamseigen stoffen. Mensen die van nature hoge niveaus van dergelijke stoffen hebben (maar wel binnen de grenzen blijven) gaan vrijuit, terwijl de klungels die aan de onderkant van de curve zitten en dit met synthetische middelen willen aanzuiveren als crimineel worden aangemerkt, want zo mag je de dopinggebruikers in deze tijd van heksenjacht toch wel bestempelen: betrapt, verguisd en voor eeuwig als onbetrouwbaar afgeserveerd. En dan gaan we er nog voor het gemak van uit dat die grenzen van de WADA een garantie vormen dat er niet geslikt of gespoten wordt. Dat is echter allerminst het geval. Zo wordt mogelijk gebruik van anabole steroïden onder meer afgeleid uit de verhouding van testosteron en zijn omzettingsproduct epitestosteron. Als deze verhouding bij westerse mannen boven de vier uitkomt, is dat vrijwel zeker een aanwijzing dat er gebruik is gemaakt van extra steroïden (die niet tot epitestosteron worden omgezet, zodat de verhouding hoger wordt). Helaas is onlangs aangetoond dat het gen voor UGT2B17, een stof die betrokken is bij de afbraak van testosteron, in meerdere varianten voorkomt, waarvan de vorm met een deletie – frequent aanwezig vooral bij Aziatische mannen – leidt tot een aanzienlijke verlaging van de testosteron-epitestosteronverhouding. In dat geval kun je jezelf wel een extra spuitje anabole steroïden toedienen voordat je bij de toegestane verhouding van testosteron ten opzichte van epitestosteron komt.

Het bestrijden van doping is dus niet eenvoudig en gaat wat mij betreft ook van het verkeerde standpunt uit: het probleem is niet dat het oneerlijk is, maar mogelijk ongezond. We moeten er daarom van af zien te komen. Maar hoe lossen we dan die oneerlijke verschillen in de sport op?

Eigenlijk ligt de oplossing erg voor de hand. Als we vroeger op straat een wedstrijdje in hardlopen organiseerden gaven we jongere broertjes of zusjes die graag mee wilden doen toch ook een eerlijke kans door hen twintig meter voor ons te laten starten? Zo werd hun natuurlijke achterstand, vanwege de kortere beentjes en het geringere uithoudingsvermogen, gecompenseerd, zonder dat er doping aan te pas hoefde te komen. Onze onderwijzer op de lagere school deed dat ook, door bij de slimme leerlingen tijdens een dictee een punt per fout af te trekken, terwijl de geestelijk minder fortuinlijken zich wel drie fouten per punt konden permitteren. Op die manier had iedere leerling een vergelijkbare kans op een voldoende, een heel sportieve aanpak die iedereen gemotiveerd hield. Er zijn sporten waar deze aanpak al jaren met succes wordt toegepast. Iedere kruk met een golfclub in zijn handen kan een leuke wedstrijd slaan met een professional, omdat ze door hun verschillende handicapgetal het verschil in vermogen hebben opgevangen. Door dit compensatieprincipe overal in de sport toe te passen is eindelijk al die oneerlijkheid uitgebannen. De amateurwielrenner start gewoon halverwege de laatste col terwijl de professionals nog twee bergen van de hoogste categorie hebben te gaan. Met zo'n compensatieprincipe zijn alle relatieve verschillen op te heffen. Dan moeten we alleen nog een oplossing vinden voor dat ongezonde najagen van het absolute verschil, het vestigen van de wereldrecords. Als we daar nu eens een straf voor uitdelen in plaats van een premie, dan hoeft geen enkele sporter meer jarenlang zijn leven daarop te richten, om voor het vermaak van de luie toeschouwer grenzen te verleggen.

Wat nog wel uitgewerkt moet worden is hoe de eerdergenoemde compensatiefactor dan berekend wordt. Voor lichaamskenmerken valt misschien wel tot een berekening te komen, maar lastiger is het om de geestelijke verschillen bij sportbeoefenaars in een getal te vangen. Want als alle lichamelijke ongelijkheden gecompenseerd zijn, komt het natuurlijk aan op zaken als motivatie en doorzettingsvermogen. Wie gaat tijdens een wedstrijd tot zijn grens en daaroverheen om te winnen, puur op wilskracht en ambitie? Wie bedenkt de beste strategie om de ander te verslaan? Als alle lichamelijke ongelijkheid is verdwenen maar we de compensatie voor verschillen in geestkracht nog niet kunnen berekenen worden tijdspasseringen zoals roeien, atletiek of zwemmen eigenlijk denksporten. Daar ben ik – door de natuur niet echt begiftigd met een competitief sportlichaam – nu eens helemaal voor.

Allemaal pukkeltjes

CONFORMISME

Aan het begin van iedere gang in de school is een wand met kluisjes geplaatst, waar leerlingen jas, tas en mobieltje kunnen opbergen. Dat is nieuw, de haken buiten ieder lokaal waaraan wij onze jassen ophingen en waaronder onze schooltassen lagen in de pauze zijn inmiddels verdwenen. Het was altijd een heel gezoek na een les om je jas weer terug te vinden, want veel leerlingen droegen – geheel vrijwillig – hetzelfde type jas. Het ene jaar was het mode om een spijkerjasje te dragen, liefst met een pakje shag en vloeitjes nonchalant in de borstzak gestoken. En twee jaar later was iedereen opeens gestoken in een Afghaanse jas, met suède of linnen aan de buitenkant en namaakbont vanbinnen. Het lastigste jaar was toen het opeens mode werd om een zwart joppertje te dragen, zoals gemeentewerkers van de plantsoenendienst aanhadden; zo'n jas had uiterlijk zeer weinig aanknopingspunten – allemaal zwart met een rits aan de voorkant, allemaal hetzelfde model – dus je moest het van het etiketje met de maat en het wasvoorschrift hebben om te zien welk exemplaar van jou was. Ook om je eigen tas terug te vinden in de ordeloze hoop die voor de pauze bij het lokaal was gedumpt viel niet mee. We begonnen allemaal met de oerdegelijke leren schooltas, vol met onnodige boeken, maar na een aantal jaar werd het opeens mode om een afgedragen soldatenpukkel te gebruiken als schooltas. De humor dat we als pubers allemaal opeens pukkeltjes hadden ging geheel aan ons voorbij. Waar we (anders dan in veel landen met een verplicht schooluniform) volledige vrijheid hadden om ons te kleden en van accessoires te voorzien die ons aanstonden, koos bijna iedereen voor de veilige weg door kleren en tassen aan te schaffen die niet afweken van de rest van de groep.

Dit aanpassen aan de norm van de groep is typerend voor schoolkinderen. Het is een fenomeen van alle tijden, want ook nu komen kinderen die in een dorp op de basisschool hebben gezeten nietsvermoedend in een merkloze spijkerbroek en trui naar de middelbare school in een grotere buurtgemeente, een gewoonte die hun vervolgens snel wordt afgeleerd op straffe van uitstoting. Als ze in een stad op de basisschool hebben gezeten hebben ze een dergelijke nonchalante kledingkeuze al eerder verlaten. Je moet de juiste kleren, in vorm, merk en kleur, dragen, de goede schooltas bezitten, van de juiste agenda voorzien zijn en het modernste mobieltje hebben. Wie daarvan af wil wijken moet sterke benen hebben; dat geldt voor iedere burger, maar zeker voor scholieren.

Het is altijd lastig om vast te stellen wie deze dresscode voorschrijft. Natuurlijk, in elke klas zit wel een leerling die als vanzelfsprekend in de juiste outfit rondloopt. Het zijn vaak kinderen met een aangeboren gezag, die helemaal niet eisen dat ze gevolgd worden in hun gewoontes door anderen, maar het volstrekt natuurlijk vinden als dit wel gebeurt. Ze worden vaak omringd door een groep volgers die al snel heeft opgesnoven dat het tijd is voor een aanpassing in de kledingkast. Van deze volgers zijn het dan weer degenen met het minste gezag die het scherpste zijn in hun veroordeling van de achterblijvers. Het zijn de onzekerste kinderen die zich het snelste en met de meeste overtuiging aanpassen.

Uiteraard is de aanstichter van de verandering ook weer een speelbal van de wereld om hem of haar heen. Bijna een jaar voordat deze jonge consument besluit om een kobaltblauwe trui te kopen met een wijde rolkraag hebben de winkelketens al besloten dat dit seizoen de wijde rolkraag het straatbeeld bepaalt en dat de seizoenskleuren kobaltblauw, maïsgeel en antracietgrijs zijn. Wie dan nog een wijnrode trui met een boothals wil aanschaffen moet gaan winkelen in een ander continent, want in je eigen stad, in Nederland en in de rest van Europa zijn alleen maar rolkragen in het blauw, geel en donkergrijs te koop.

Wat mij het meest bevreemdt is dat je deze dwang van de winkels op het moment zelf niet eens zo goed in de gaten hebt; pas jaren later kun je een modebeeld moeiteloos in de tijd plaatsen. Een mij bekende amateurfilmer heeft gedurende dertig jaar iedere zomer twee minuten straatbeeld vastgelegd op de Dam. Als je die fragmenten achter elkaar plakt heb je dezelfde sensatie als wanneer je een camera op een vast punt in de natuur monteert en iedere week een seconde opneemt: binnen een minuut zie je de natuur een hele cyclus doormaken, opeens valt je het grote patroon achter al die dagelijkse details op. Die fragmenten op de Dam tonen in een kort bestek de ernstige bebrilde mannen in de jaren zestig, met donkere slobberpakken aan en een gleufhoed op het hoofd, de dames allemaal in jurk of rok, meestal met een kittig dopje op. Ze worden al snel verdreven door de Damslapers, jongens in spijkerbroek met een gitaar, de meisjes in een Indiase jurk. Daarna treedt het tijdperk van de wijde broekspijpen in. Wat aan die periode vooral opvalt, is dat iedereen zo ontzettend veel haar op zijn hoofd heeft. Zelfs kale mensen probeerden dit hinderlijke feit te compenseren door het weinige haar dat hun nog restte tot ver in hun nek door te laten groeien. Iets later zijn het weer de brillen die je doen verbazen: hebben we werkelijk die rare brillen met een plastic montuur en enorme glazen gedragen? Nu vind je het exotisch maar in de tijd zelf besef je helemaal niet dat je er potsierlijk uitziet omdat het past in het straatbeeld. De vorm van de kleren, het materiaal, de kleuren of patronen: zoals je feilloos aan iemands accent kunt horen in welke streek hij of zij is opgegroeid, zo kun je moeiteloos iemand in de tijd plaatsen aan de hand van de kleding, niet alleen in de afgelopen vijftig jaar, maar door alle eeuwen heen.

We zijn dus allemaal gevormd door wat het modebeeld voorschrijft, al is het alleen maar omdat je zo veel moeite moet doen om iets afwijkends te vinden. Toch zijn vooral jongeren tussen de tien en twintig jaar extreem gevoelig voor de voorschriften. Over het algemeen willen ze niet van de groepsnorm afwijken, in dit geval de norm van leeftijdsgenoten. Wat hier sterk aan bijdraagt is de enorme onzekerheid die mensen in deze leeftijdsgroep teistert. Als je mensen vraagt naar welke leeftijd ze graag weer zouden willen terugkeren, gesteld dat dit mogelijk is, zijn er weinigen die opteren voor de middelbareschoolleeftijd, omdat ze zich meestal nog goed de wurgende twijfels van die periode kunnen herinneren. Zit mijn haar niet stom? Ben ik niet veel te dik? Zou ze wel met me naar de film willen gaan? Het zijn allemaal vragen waar je in die levensfase uren per dag mee bezig bent en ze worden pas beantwoord als leeftijdsgenoten aan wiens oordeel je veel belang hecht zeggen dat je het mooiste meisje bent dat ze kennen of dat ze al maandenlang eigenlijk met je naar de film hadden willen gaan maar het nooit durfden te vragen omdat je zo ongeïnteresseerd leek.

De sociale psychologie onderzoekt wat belangrijke factoren zijn in dergelijke groepsprocessen. De invloed van onzekerheid op het conformeren aan groepsnormen blijkt enorm belangrijk te zijn. Binnen dit onderwerp zijn boeiende experimenten gedaan. Je kunt bijvoorbeeld individuen vragen naar hun mening over een maatschappelijk probleem waar veel discussie over is.[1] Vervolgens confronteer je de helft van de proefpersonen door middel van een vragenlijst met hun eigen onzekerheid over belangrijke levensvragen (niet gerelateerd aan het maatschappelijke probleem) terwijl je de andere helft niet over de eigen onzekerheden laat nadenken. Belangrijk is dat deze twee groepen op zichzelf niet verschillend zijn, ze vóelen zich alleen door opgelegde omstandigheden meer of juist minder zeker over zichzelf op het moment van het experiment. Zowel de groep die net een deuk in het ego heeft opgelopen als degenen die zich voelen alsof ze de wereld aankunnen laat je vervolgens gefingeerde uitslagen zien over het eerdere maatschappelijke probleem, waarbij de data zo gemanipuleerd zijn dat proefpersonen ofwel te horen krijgen dat de meerderheid van de groep het met hen eens is, ofwel dat de meerderheid het juist volstrekt oneens is met wat de proefpersoon zelf in eerste instantie vond. Over het geheel genomen neemt de onzekerheid van proefpersonen af als ze zien dat hun mening overeenkomt met wat de meerderheid vindt, dat valt wel te verwachten. Interessanter was de observatie dat mensen die net uitgebreid met hun eigen onzekerheid waren geconfronteerd zich fanatiek inzetten om anderen te overtuigen als ze zich gesteund voelen door de opinie van de groep; blijkt echter dat de groepsopinie anders ligt dan hun eigen oorspronkelijke mening, dan laten ze snel het kopje hangen en zijn ook minder bereid om anderen te overtuigen. Met andere woorden: hoe onzekerder je je voelt, hoe meer geneigd je bent om je aan te sluiten bij wat de meerderheid van de groep vindt en ook anderen die mening op te leggen.

Zeer recent heeft men onderzocht welke circuits in de

hersenen belangrijk zijn voor deze aanpassing aan de groepsnorm.[2] Hierbij ging het om een experiment waarbij vrouwelijke proefpersonen moesten aangeven hoe aantrekkelijk ze een op een foto getoond vrouwengezicht vonden. Opnieuw werden de proefpersonen geconfronteerd met een zogenaamde groepsnorm, waarbij de 'groepsmening' ofwel overeenkwam met de opinie van het individu, ofwel duidelijk afweek (positief of negatief). Het gaat er bij het laatste niet om dat je een antwoord hebt gegeven dat objectief fout is, je realiseert je gewoon dat vrijwel iedereen er anders over schijnt te denken. Daarbij is het belangrijk dat het werkelijk om sociale druk gaat; zodra de proefpersonen te horen krijgen dat hun mening afwijkt van een door de computer vastgestelde norm, raakt niemand inclusief hun hersenen hierdoor van de kook. Bij mensen die zich realiseerden dat ze er een andere mening op na hielden dan de groep, trad (in verhouding tot mensen van wie de mening overeen bleek te komen met het groepsgemiddelde) meer hersenactiviteit op in het voorste deel van de cingulaire cortex en juist minder activiteit in de nucleus accumbens. Dit zijn niet zomaar twee toevallige gebieden. Vergelijkbare patronen in hersenactiviteit zijn eerder beschreven wanneer naar de invloed van beloning op hersenactiviteit werd gekeken. Zodra er een verschil optreedt in de beloning die men verwacht en de beloning die men ontvangt, leidt dit tot andere activiteit in een circuit waarvan deze twee gebieden prominent deel uitmaken. Het horen bij een groep wordt blijkbaar door onze hersenen geïnterpreteerd als een 'sociale beloning'.

Maakt deze veranderde hersenactiviteit iets uit voor wat we vervolgens doen? Dat blijkt inderdaad het geval te zijn. Een deel van de proefpersonen zal de oorspronkelijke mening over de aantrekkelijkheid van het gezicht bijstellen, onder invloed van de groepsopinie. Bij degenen die hun mening aanpassen (ten opzichte van hen die vasthouden aan hun oorspronkelijke idee) bleek de nucleus accumbens anders te werken op het moment dat men met de groepsnorm werd geconfronteerd, hetgeen suggereert dat deze kern van belang is bij het aanpassen aan de norm. In overeenstemming met dit idee werd aangetoond dat de mate van verandering in hersenactiviteit – op het moment dat je je realiseert dat je mening afwijkt van de norm – voorspelt in hoeverre mensen hun oorspronkelijke mening vervolgens gaan bijstellen.

We willen er dus graag bij horen, ons wanen in het warme bad van onderdeel uitmaken van de groep. Het aanpassen van onze mening aan wat de meerderheid denkt is dan een leerproces dat niet wezenlijk verschilt van iedere aanpassing van gedrag door beloning of straf, net zoals Pukkie uiteindelijk leerde om bij een boom te plassen. En hoe onzekerder we ons voelen, hoe gevoeliger we zijn voor dit leerproces. Pas als ervaren wordt dat afwijken van de norm ook positief kan zijn, kan de zekerheid worden opgebouwd dat individuele waarden heel belangrijk zijn, niet alleen de groepsnorm. Op dat moment ga je te midden van allemaal blauwe en gele rolkragen op zoek naar een wijnrode trui met boothals en rust je niet voor je hem aan hebt, al moet je daarvoor hoogstpersoonlijk de breipennen van zolder halen.

In scherven

PSYCHOSE

Er was slechts een handjevol kinderen dat vanuit mijn basisschool indertijd naar deze middelbare school ging. Het was niet zozeer omdat de school waar ik nu rondloop de lat heel hoog legde, als wel dat de onderwijzer van de lagere school kieskeurig was. Hij had een uiterst sterk ontwikkelde beroepseer en wilde dat, via de successen van zijn pupillen in het vervolgonderwijs, louter goudglans op zijn eigen school reflecteerde. Mislukkingen pasten niet in dat beeld.

Aanvankelijk trokken we met elkaar op, want tijdens zo'n onzeker makende verandering van de basisschool naar de middelbare school, wanneer alle hiërarchieën weer opnieuw moeten worden vastgesteld, is het heel vertrouwd als je ten minste enkele bekenden in je omgeving hebt. Al snel echter werden nieuwe banden gelegd en viel het groepje uiteen.

Zo dreef ook Dieuwke, een van ons, langzaam uit

mijn directe gezichtsveld. Haar moeder kwam uit Friesland – vandaar die voornaam – en had wat betreft het uiterlijk duidelijk haar genen doorgegeven aan haar dochter, want Dieuwke was blond, fors en niet voor een kleintje vervaard. Op de basisschool waren zij en ik de enige meisjes die in de pauze met de jongens op het schoolplein meevoetbalden en als de bal door een slecht geregisseerde actie in de takken van een boom terechtkwam, klom Dieuwke als eerste omhoog om hem eruit te halen: zo'n meisje. Ze woonde met twee broers en haar ouders in een groot, nogal slonzig georganiseerd huis, waar alles kon en mocht. Ik herinner me dat we als onderdeel van een verjaardagsfeestje met verf en grote kwasten een muurschildering mochten maken in de hal. Dieuwkes moeder vond het, geloof ik, wel tof dat er een origineel kinderkunstwerk op de muur stond in plaats van de gebruikelijke reproductie van Van Goghs zonnebloemen. Het leek me een leuk gezin, waarin eigenlijk van niets een punt werd gemaakt. Dieuwke had twee broers die een stuk ouder waren en al bijna eindexamen deden op hetzelfde gymnasium waar wij het volgende jaar naartoe zouden gaan.

Ze deed het redelijk goed op de nieuwe school. Ze was vooral erg origineel in het spieken tijdens overhoringen en proefwerken. 'Ik weet zeker dat je hebt afgekeken,' piepte onze leraar geschiedenis met zijn hoge stemmetje tegen Dieuwke toen hij de proefwerken teruggaf, 'maar... hoe doe je dat toch?' Hij was oprecht geïnteresseerd. Hoe leerlingen wel of niet in staat waren de stof tot zich te nemen wist hij nu wel na twintig jaar in het onderwijs, maar hoe iemand op zo'n uitgebreide schaal wist te spieken zonder dat hij het in de gaten had fascineerde hem. In vertrouwen legde Dieuwke me later in de pauze uit dat ze veel profijt had van haar lange blonde haar, dat ze tijdens een proefwerk als een gordijn voor haar ogen drapeerde. Zo kon ze net als bij vitrage voor de ramen prima naar buiten kijken zonder dat iemand doorhad wat zich achter het gordijn afspeelde. Nog vernuftiger was het spiekbriefje dat ze meebracht ten behoeve van een schriftelijke overhoring. Het was gemaakt van karton en zag eruit als de helft van een cirkel. Alle informatie was gecomprimeerd op de rand van het ronde deel geschreven. Met een punaise in het midden van het rechte deel prikte Dieuwke het spiekbriefje vast aan de onderkant van haar houten schooltafel. Als de leraar voor in de klas was draaide ze het briefje met de ronde kant naar zich toe, zodat ze zonder problemen de tekst kon lezen. Zodra de leraar in de buurt kwam draaide ze snel via de punaise het geheel 180 graden rond, zodat de rechte kant samenviel met de rand van haar tafel en niemand in de gaten kon hebben dat zich onder de tafel een ongerechtigheid bevond. Het was maar een kleine greep uit haar gevarieerde arsenaal.

Hoe belangrijk die kunstgrepen waren voor haar succes in de klas weet ik niet, ik vermoed dat ze het ook wel zonder kon stellen. In ieder geval ging ze zonder problemen aan het eind van het eerste jaar over naar de tweede klas en ook in die klas kwam ze aardig mee, nooit een opvallend goede leerling, meer iemand van de middenmoot. In het voorjaar beleefde ze een periode met nogal wat onvoldoendes maar dat haalde ze vlak voor het einde van het schooljaar weer allemaal op zodat ze opnieuw zonder noemenswaardige problemen werd bevorderd naar de volgende klas. Het laatste halfjaar in de tweede trok ze in toenemende mate op met Bart en Flip, twee jongens van wie iedereen wist dat ze tijdens schoolfeestjes stiekem sterkedrank meebrachten en in de struiken achter de school een joint rookten. De schoolprestaties van Flip bleven onverminderd uitstekend want hij was zo slim dat hij het in die fase van zijn opleiding ook wel zonder enige inspanning wist te redden, maar voor Bart was de combinatie van een onorthodoxe levenswandel met proefwerken te veel van het goede; hij bleef in de tweede klas zitten.

In de derde klas leek het minder goed te gaan met Dieuwke. Ze was vaak dagen achtereen niet op school, naar verluidt ziek en daarom niet in staat te komen. Als ze wel kwam zat ze met wallen onder haar ogen in de banken, met een afwezige blik naar het bord starend. Soms viel ze zittend tijdens de les in slaap. Voldoendes haalde ze niet vaak meer en als we een opdracht moesten inleveren had ze hem zelden op tijd af. We zagen het allemaal gebeuren, maar met de onverschilligheid van pubers die vooral geïnteresseerd zijn in hun eigen universum vroeg niemand aan Dieuwke (of zelfs maar aan zichzelf) of er soms iets met haar aan de hand was. Wel meldde Peter, die af en toe vanwege zijn astma tijdens schooluren naar het ziekenhuis moest, dat hij haar overdag – op een moment dat ze ziek gemeld was – in de stad had zien staan, ergens in een steegje, met wat hij voor een sigaret hield tussen haar lippen.

De geruchten namen toe in aantal. Tijdens een schoolfeest had iemand haar in een hoek van de hal aangetroffen, verdwaasd en geestelijk onbereikbaar. Een ander was in de middagpauze langs de struiken achter de school gelopen en had daar Flip en Dieuwke aangetroffen, in een walm van hasj. We waren er niet bijzonder door geschokt, er waren zo veel leerlingen die wel eens iets gebruikten wat niet de bedoeling was, soms wel sterker nog dan een simpele joint; daarvoor gingen we een klasgenoot niet verlinken. Maar het leek wel alsof Dieuwke veel sterker reageerde op die middelen, in ieder geval sterker dan Flip met wie ze nog steeds veel optrok. Verder had ze eigenlijk met niemand meer contact. Als je haar aansprak zei ze niet zoveel en als ze wel wat zei was het een vreemd, niet erg samenhangend antwoord. Het leken normale zinnen, maar als je goed luisterde naar wat ze wilde zeggen begreep je soms helemaal niet wat ze nu bedoelde.

Een maand later ging Flip van school. Een paar dagen daarna stond hij 's middags na schooltijd buiten het hek en legde aan zijn vrienden uit dat hij nu naar een scholengemeenschap aan de andere kant van de stad ging, vlak bij zijn huis. Zijn moeder hield strak in de gaten of hij meteen na school thuiskwam; alleen voor vandaag had ze toegestaan dat hij langer wegbleef, om nog even uit te komen leggen bij ons dat hij voortaan ergens anders naar school ging. We vonden het wel jammer, Flip was een populaire jongen in de klas.

In de weken daarna zag Dieuwke er in toenemende mate haveloos uit, haar lange blonde haar vet en ongewassen. Ze had heel vaak dezelfde bloes aan, met vlekken en een vieze zweetlucht. Eerlijk gezegd rook ze helemaal een beetje vies, zoals een hond die in de regen heeft gelopen. In de klas wilde niemand meer naast haar zitten, vanwege die vieze lucht waarschijnlijk. Het leek haar nauwelijks te deren, ze zocht toch al niet meer het gezelschap op van klasgenoten, ze leefde in haar eigen wereld. Toen op een dag een van de meisjes naast haar ging zitten omdat er geen andere vrije plaatsen meer waren in de klas, sprak Dieuwke haar kwaad aan. 'Ik weet wel waarom je naast me gaat zitten, je moet me in de gaten houden van de school. Mijn ouders hebben dat gevraagd, of de school beter na kan gaan wat ik doe de hele dag, omdat ik zo vaak gespijbeld heb. Ze kijken thuis ook steeds in mijn spullen om na te gaan wat ik overdag en 's avonds doe. Daarom ga je hier nu opeens zitten, dat moet van mijn ouders.' Het meisje keek wat geschrokken op, ze zat daar noodgedwongen, niet in opdracht. De kinderen die in de buurt zaten en Dieuwkes opmerking hadden gehoord vonden het een vreemd verhaal, maar dat de ouders van Dieuwke bezorgd waren, ach, daar was wel reden toe.

Het werd pas echt verontrustend toen dit incident een vervolg kreeg. Een week later stond hetzelfde meisje 's ochtends bij een groepje klasgenoten te wachten tot de bel aangaf dat de lessen zouden beginnen. Plotseling liep Dieuwke op haar af en trok de tas van het meisje uit haar hand. 'Zit je me weer te bespieden,' beet ze het verbouwereerde kind toe. 'Dat doe je al weken. Ik zíe het wel. Steeds als ik naar de wc moet, kom je achter me aan om te kijken wat ik doe. En gisteren in de stad zag ik je ook wel, hoor. Je liep zogenaamd op straat voorbij, maar op een afstand neem je alles wat ik doe op, met een recorder.' Ze gooide de tas van het meisje over de spijlen van de tuin voor de school, midden in een vijvertje. 'Zo, die recorder is nu mooi naar de haaien,' ging ze verder, 'en als je zo doorgaat met me te volgen, ga je dat ding direct achterna.' We waren verbijsterd, het slachtoffer voorop. Het kind begon te huilen en liep even later, gesteund door een vriendin, de school in, om de gebeurtenis te melden aan de rector.

Vanaf dat moment hebben we Dieuwke niet meer op school gezien. Enkele dagen later kwam de rector tijdens een van de lessen de klas in en vertelde dat Dieuwke de avond ervoor ter observatie in een kliniek was opgenomen. Ze had zo sterk het gevoel dat ze achtervolgd werd dat niemand haar meer kon benaderen, zelfs haar ouders niet. Hij gebruikte het woord psychotisch, een begrip dat we niet kenden maar dat naar ons idee thuishoorde in een psychiatrische inrichting, zo'n plek waar mensen werden opgesloten en in een dwangbuis werden gedaan. Niemand van ons had ooit een psychiatrische inrichting vanbinnen gezien, en ik vermoed dat ook de leraren en de rector geen idee hadden wat zich daar afspeelde. Dat iemand van onze eigen leeftijd, nog geen vijftien, daar nu zat, was onbegrijpelijk en zo oneerlijk. Als je vijftien was moest je verliefd zijn, je druk maken over proefwerken of over make-up; niet in die vreselijke omgeving verkeren.

De rector vroeg verder. Of ons soms ooit iets vreemds

was opgevallen aan Dieuwke. Nu ze in een andere wereld dan de onze verkeerde vond niemand het meer verraad om te zeggen wat we hadden gezien. Dat ze joints rookte, dat ze stonk, dat ze zich terugtrok en van die onbegrijpelijke verhalen afstak; zelfs het afkijken in de eerste klas kwam aan de orde. Het was een klassikale catharsis, we liepen helemaal leeg over die ene klasgenoot die er nu niet meer bij was. De rector hoorde het allemaal aan en reageerde in eerste instantie niet. Toen vroeg hij of iemand ook iets aardigs over Dieuwke kon zeggen. Na een lange stilte zei een van de jongens dat ze zulke originele en humoristische dingen maakte bij handenarbeid. Ik vertelde zelf iets over dat verjaardagsfeestje van een aantal jaar geleden, waarbij we onder enthousiaste aanvoering van Dieuwke een grote muurschildering hadden gemaakt. 'Onthoud dat maar goed,' zei de rector nu, 'hoe origineel en leuk ze was. De laatste tijd was ze ziek, toen gedroeg ze zich heel anders, maar ik hoop dat als ze ooit nog eens terugkomt ze weer een beetje wordt als dat kind van vroeger en dat jullie haar dan de kans geven om dat te zijn.' Daar hadden we niet van terug. 'En blijf van die verdomde hasj af,' vervolgde hij, 'je ziet nu wat er van die rotzooi komt.' En met die vermaning verliet hij het lokaal.

Een wijze man, die rector, een die wist hoe je met veertienjarigen moet omgaan. Toch waren zijn woorden over het gebruik van cannabis te simpel.

Cannabis bevat twee stoffen die iets doen op de werking van onze hersenen. Een daarvan is THC. Uit gecontroleerde onderzoeksstudies bij gezonde vrijwilligers weten we dat deze stof bij een deel van de mensen psychotische verschijnselen kan oproepen. Mensen interpreteren bijvoorbeeld gebeurtenissen in hun omgeving en de bedoelingen van de onderzoekers verkeerd. Dat is een tijdelijke ervaring. Ze hebben het gevoel dat ze het doelwit zijn van een duistere samenzwering, dat ze vervolgd worden of dat de onderzoekers hun diepste gedachten willen lezen. Er kan desintegratie optreden tussen de denkwereld en het gevolg geven aan die gedachten; je bewust zijn dat je naar de gang moet lopen maar het niet in daden om kunnen zetten. Een enkeling ervaart geluiden of beelden die er niet zijn en bijna iedereen heeft moeite om een goed tijdsbesef te behouden tijdens het experiment. Dit zijn ervaringen met een hoge dosis van THC. Bij het roken van een joint zal de gebruiker over het algemeen aan een veel lagere dosering worden blootgesteld en bovendien zit daar nog een tweede stof in, cannabidiol, die eerder een omgekeerde werking heeft. Wel wordt door telers steeds meer geselecteerd op planten die een hoge concentratie THC bevatten en dus een sterk effect hebben.

Hoewel ons lichaam zelf geen THC maakt, hebben we wel eiwitten waaraan THC kan binden (receptoren) en via welke het zijn werking kan uitoefenen. In de hersenen worden ook stoffen gemaakt (chemisch verschillend van THC) die kunnen binden aan deze receptoren. We hebben dus onze eigen cannabisachtige stoffen. Deze stoffen zijn belangrijk voor een goede werking van de hersenen, maar als de receptoren overmatig worden geactiveerd door

THC in plaats van onze lichaamseigen verbindingen kan de signaaloverdracht in de hersenen ernstig belemmerd worden. Hoe ernstig is afhankelijk van het individu. Het is bekend dat stoffen zoals THC leiden tot een hogere beschikbaarheid van de neurotransmitter dopamine, een stof die kan bijdragen aan psychotische verschijnselen maar er zeker niet toe hoeft te leiden. Hoe meer dopamine, hoe groter de kans op dergelijke verschijnselen. Bij personen die een genetische achtergrond hebben die ervoor zorgt dat ze sowieso al meer dopamine in hun hersenen hebben circuleren, kan het gebruik van cannabis net het duwtje zijn waardoor ze in een psychose raken. Cannabisgebruik zorgt ervoor dat het risico op psychoses ongeveer verdubbelt. Dieuwke had dus gewoon pech. Ze had waarschijnlijk al een genetisch risico en door het roken van die joints, die voor Flip helemaal geen negatieve gevolgen hadden, ontwikkelde zich een stoornis die ze misschien anders ook had gekregen maar dan wat later.

Nu ik hier in deze school rondloop, realiseer ik me dat ik geen flauw idee heb wat er van Dieuwke terecht is gekomen. We hoorden wel na enige tijd dat ze weer thuis was, maar door het gebruik van medicijnen niet meer zo functioneerde dat ze bij ons op school kon terugkomen. Die medicijnen bleef ze overigens niet slikken, tot wanhoop van haar ouders, waardoor ze opnieuw in een psychose terechtkwam en weer opgenomen moest worden. Nog een paar jaar hebben we het gevolgd, hoe ze steeds een paar maanden thuis verbleef totdat er weer een nieuw incident was waardoor ze niet meer in de gezinssituatie te handhaven was. Het was een ongelooflijke belasting voor alle gezinsleden. Haar oudere broers bleven haar steunen en toonden een bijna bovenmenselijk begrip. Maar die broers groeiden op, verlieten het huis en gingen hun eigen leven leiden. De vader en moeder van Dieuwke bleven uiteindelijk alleen achter, met de groeiende zorg voor hun kind dat in toenemende mate onbereikbaar voor hen was. Wat ooit begonnen was als een leuk gezin, waarin eigenlijk van niets een punt werd gemaakt, was veranderd in een samenleving die in scherven lag; door een eenzaam mens dat in scherven lag; scherven die ondanks alle geneesmiddelen niet zo gelijmd kunnen worden dat je het unieke geheel weer terugkrijgt.

Oefening baart schors

HERSENEN EN MUZIEK

We zouden toch raar opkijken als we hem op straat tegen zouden komen, Homunculus. Het is een kereltje met een klein koppie, naar verhouding grote oren, ogen en neus, twee enorm dikke lippen met een forse tong, een uiterst schriel lichaampje met twee stakerige armen en benen, normale voeten, en een stel gigantische jatten. Zijn duimen zijn groter dan zijn borstkas, heel geschikt om te liften langs de snelweg. We kennen natuurlijk niemand die er zo belachelijk uitziet maar toch huist dit fictieve mannetje in ons hoofd, zowel in het deel van de hersenschors dat betrokken is bij beweging als in het deel dat gaat over het voelen, zoals bij waarneming van temperatuur, vorm, materiaal en pijn. Bij Homunculus heeft men ieder lichaamsonderdeel net zo groot weergegeven als het aandeel dat het betreffende lichaamsonderdeel in de hersenen inneemt bij de verwerking van gevoel of de uitvoering van bewegingen. Zo is in verhouding tot de rest van ons hoofd slechts een klein deel van de hersenschors betrokken bij het waarnemen van temperatuur of pijn boven op ons hoofd, dus Homunculus heeft maar een heel klein kruintje. Maar voor de verwerking van signalen via de lippen of tong is een relatief groot deel van de hersenschors ingeruimd, vandaar die wanstaltige zoenlippen. Díe delen van ons lichaam die het meest gevoelig zijn hebben de meeste hersencellen in de schors tot hun beschikking en met de lichaamsdelen waar verhoudingsgewijs de meeste hersencellen voor beschikbaar zijn kun je de meest precieze bewegingen uitvoeren, zoals met je vingers.

Homunculus ziet er niet voor iedereen precies hetzelfde uit. In je hoofd speelt zich continu een soort landjepik af. Het meest extreem komt dit naar voren als een onderdeel van ons lichaam verloren gaat, bijvoorbeeld bij mensen die bij het hakken van het haardhout op noodlottige wijze een vingerkootje meenemen. De zenuwbanen die van dat kootje naar de hersenschors lopen sterven af, maar dit schept allerlei mogelijkheden voor naastgelegen gebieden om de vrijkomende hersencellen – aanvankelijk bedoeld voor voelen en bewegen van het bewuste vingerkootje – te confisqueren. Zo kan het gebeuren dat bij deze mensen het strelen van een wang de sensatie geeft alsof het verdwenen vingerkootje wordt aangeraakt, omdat de cellen die normaal gesproken door die wang worden geactiveerd nu ook contact hebben gemaakt met de verweesde vingerkootjescellen. Maar je hoeft de bijl niet uit de kast te halen om te demonstreren dat sommige gebieden extreem gevoelig of vaardig worden ten koste van andere; daarvoor hoef je alleen maar te kijken naar de hersenen van mensen die zich bekwaamd hebben in een bepaalde vaardigheid.

Dit aanpassingsvermogen van Homunculus speelt door mijn hoofd als ik langs het muzieklokaal loop. Niet dat we tijdens die muzieklessen indertijd ook maar enige vaardigheid hebben opgedaan. Voor schoolmuziekleraren voel ik altijd grote bewondering maar hun bezigheid doet mij toch vooral denken aan een moderne variant van die van Sisyfus. Ieder jaar proberen deze optimisten weer een nieuwe lichting scholieren de grondbeginselen van muziek en muziekgeschiedenis bij te brengen, maar omdat noch de leerlingen noch de overige leraren het vak serieus nemen is het alsof de muziekdocenten een steen tegen de berg op moeten rollen. Als de steen er bijna is, gaan de leerlingen over naar een volgende klas (zonder muziekles) en begint de docent weer onderaan, met een nieuwe jaargang kinderen. Wij hadden indertijd een enigszins hardhorende muziekdocente, wat niet echt helpt om dit vak goed over het voetlicht te krijgen. Iedereen greep het wekelijkse uur muziekles dan ook maar aan om eens gezellig bij te praten met de medeleerlingen. Als tijdens het proefwerk de geluiden van muziekinstrumenten werden afgespeeld en we moesten opschrijven welk instrument ten gehore werd gebracht, konden we nog geen trompet van een hobo onderscheiden. Gelukkig was er één leerling in de klas wiens moeder pianolerares was, dus hij was buiten de schuld van de muziekdocente al goed onderlegd. Het antwoord op elke vraag siste vanuit deze bron van kennis als een slang de klas door.

Terug naar Homunculus. Eeuwenlang heeft men zich afgevraagd of de hersenen van muziekgiganten zoals Chopin soms anders waren dan van de gemiddelde burger. Het ligt voor de hand om de hersenen van die genieën dan te bekijken en te vergelijken met die van minder begaafde mensen. Veel heeft men daar niet van geleerd, want je kunt nu eenmaal niet veel zeggen op basis van incidentele waarnemingen. Bovendien blijken de verschillen ook niet enorm groot te zijn.

In de afgelopen jaren heeft men dit onderzoek weer opgepakt, maar nu met verbeterde technieken en gebaseerd op waarnemingen in grotere groepen mensen. Daarbij is vast komen te staan dat de hersenen van musici op bepaalde punten afwijken van de hersenen van mensen die niet bedreven zijn in het musiceren. Zo is het deel van de motorische schors dat betrokken is bij fijne vingerbewegingen gemiddeld groter bij pianisten en violisten dan bij hen die geen instrument bespelen. De Homunculus van muzikanten wijkt in deze gebieden dus af van het gemiddelde en vertoont nog grotere vingertoppen. De vraag is natuurlijk of mensen met van nature een relatief groot stuk hersenschors voor de uitvoering van fijne vingerbewegingen heel geschikt blijken om een muziekinstrument te bespelen of dat je door vlijtig toonladders te oefenen soms meer ruimte in de schors gaat claimen voor het snel bewegen van je vingers. Dat laatste lijkt waarschijnlijker. Zo blijkt de leeftijd waarop men gaat musiceren doorslaggevend voor de verandering in hersenbouw: er zijn periodes in het (jonge) leven die leiden tot grote veranderingen terwijl dit niet gebeurt bij oefening in volwassenheid. Dit strookt niet met het idee dat de verschillen aangeboren zijn. Ook is het zo dat de verschillen in hersenbouw instrumentafhankelijk zijn: bij violisten is de rechterschors die verantwoordelijk is voor de beweging en de gevoeligheid van vingers van de linkerhand groter dan het corresponderende deel in de andere hersenhelft, die de hand met de strijkstok aanstuurt, een veel minder gevarieerde beweging; bij pianisten, waar de melodie vaak door de rechter- in plaats van de linkerhand wordt bepaald, is juist het linkerdeel van de schors beter ontwikkeld. En iedereen die zich realiseert hoe de keus voor een instrument vaak wordt bepaald – 'Wat vioolspelen? We hebben een piano in de huiskamer staan, dus begin daar eerst maar eens mee, dan zien we wel weer verder' – begrijpt dat meestal niet de aanleg maar eerder de omstandigheden bepalen welk instrument men gaat bespelen. Hoe meer de muzikant studeert, hoe meer hersencellen aangestuurd worden door de gevoelige vingers en hoe meer cellen er zijn die op hun beurt weer de snelle trillers kunnen bewerkstelligen.

Maar muziek heeft niet alleen invloed op de vingers van Homunculus. Musici – vooral degenen die jong zijn begonnen – hebben sterkere verbindingen tussen hun twee hersenhelften, zodat de twee handen beter gecoördineerd opereren; niet in de zin dat ze precies dezelfde bewegingen maken (dat zou een handicap zijn in het pianospel) maar meer dat de twee handen samen een melodie tot stand brengen.

Ook de gebieden die betrokken zijn bij het verwerken van geluid zijn relatief groot bij musici, met name bij mensen die een absoluut gehoor hebben. De hersenschors wordt vooral gevoelig voor het geluid dat geproduceerd wordt door het instrument dat men bespeelt, veel minder voor een ander instrument. Met magneto-encefalografie is ook aangetoond dat luisteren naar een muziekstuk dat men reeds beheerst vergelijkbare hersenactiviteit opwekt als het actief uitvoeren van datzelfde muziekstuk. Zo kun je luisterend studeren als het stuk eenmaal in je vingers zit.

Een vierde onderdeel van de hersenen dat beïnvloed wordt door musiceren is het deel dat betrokken is bij het snel verwerken van notenschrift. Door veel oefening wordt de efficiëntie van signaalverwerking in sommige hersendelen opgevoerd, vooral in de pariëtale schors (ongeveer in het midden en aan de bovenkant van de hersenen) bij het verwerken van de toonhoogte en in de temporale schors (aan de zijkant van de hersenen) als het gaat om de lengte van de toon en het ritme van de muziek. Zo kan de bouw van de hersenen aangepast worden door muziek te maken, waarbij voor ieder van de vier typen veranderingen gevoelige periodes bestaan waarin de invloed van musiceren het grootste is.

Dit geeft de indruk dat iedereen de potentie heeft om de Homunculus van Paganini te verkrijgen als er maar veel geoefend wordt. Wij – op de enkele begaafde musicus die dit leest na – weten wel beter. Zoals we met veel training hijgend de Alpe d'Huez kunnen overmeesteren in een kwart tempo van een Tour de France-winnaar, zoals we verdienstelijk kunnen schilderen maar altijd achter zullen blijven bij Picasso, zo kunnen we dagelijks tien uur piano studeren zonder het concertpodium te halen. Naast oefening is ook aanleg belangrijk.

Over de genetische aanleg voor musiceren is nog niet veel bekend. Muzikaal talent laat zich ook niet zo eenvoudig objectief onderzoeken, je moet een gestandaardiseerd uitleespunt hebben dat liefst ook nog niet cultureel bepaald is. Een van die uitleespunten die men redelijk onderzocht heeft is het bezit van een absoluut gehoor, het vermogen om zonder enig referentiekader de toonhoogte van een geluid te kunnen duiden. Het is een eigenschap die in sommige families vrij veel voorkomt, een aanwijzing voor het bestaan van een genetische achtergrond. Dat laatste kwam ook naar voren uit een onderzoek onder enkele duizenden vrijwilligers, waar een subgroep een absoluut gehoor bleek te hebben. De meeste deelnemers aan dit onderzoek hadden overigens een uitgebreide muzikale achtergrond; dat klopt met de waarneming dat mensen met een absoluut gehoor over het algemeen op vrij jonge leeftijd al frequent zijn blootgesteld aan muziek. Voor muziek (en dat niet alleen) geldt dus dat een goede genetische aanleg in combinatie met oefening op de juiste leeftijd de beste resultaten geeft. Of we ooit van Mozart gehoord zouden hebben als zijn vader timmerman was geweest is dus maar zeer de vraag. Maar welke genen nu een rol spelen bij de aanleg voor een absoluut gehoor moet nog ontdekt worden.

Helaas is niet iedereen muzikaal begaafd. In pedagogisch minder verlichte tijden werd aan die kinderen op school vriendelijk verzocht niet mee te zingen tijdens de zangles, omdat zo'n aanhoudend valse toon de andere kinderen van de wijs zou brengen. Er zijn nu eenmaal mensen die niet in staat zijn te horen of een noot (al dan niet door henzelf geproduceerd) vals is, iets wat met *amusia* wordt aangeduid. Het is niet zo dat hun hersenen niet geactiveerd worden door de valse noot, het probleem is meer dat ze zich niet bewust kunnen worden dat de noot vals is. Zoiets kan later in het leven ontstaan door verworven hersenschade maar zo'n één op de vijfentwintig mensen wordt ermee geboren. Ook hier is sprake van een familiale aanleg, want een eerstegraads familielid van iemand met amusia heeft een tienmaal hogere kans hetzelfde probleem te vertonen dan een willekeurig lid van de bevolking.

Over belangstelling voor muziek mogen de huidige muziekdocenten niet klagen. Welke leerling is niet per draad en oordopjes verbonden met vele gigabytes muziek? Maar daar gaat de muziekles niet over. Er moeten nog steeds muziekstromingen geleerd worden, je moet nog steeds een trompet van een hobo kunnen onderscheiden. En muziek als vak wordt door de collega-docenten nog steeds niet serieus genomen. De stenen bal wordt de heuvel op geduwd, ieder jaar weer, Sisyfus werkt voort.

Blikvernauwing

VERLIEFDHEID

In de verte zie ik opeens mijn jeugdliefde in de gang op me aflopen. Hij is het beslist, hetzelfde silhouet, het sluike zwarte haar nonchalant opzij, de licht getinte huid. Net als vroeger raak ik heel even in paniek en klopt mijn hart in mijn keel, maar ik ben nu tenminste niet meer zo bevangen dat ik hem niet eens durf aan te spreken. Dat is trouwens niet nodig, want naderbij gekomen komt hij al met uitgestoken hand op me af, mij begroetend met een hartelijkheid die ik me van vroeger niet kan herinneren. 'Wat ontzettend leuk dat ik je weer zie,' zegt hij met die lach waar ik indertijd helemaal voor viel, eindelijk de woorden uitsprekend die ik vijfendertig jaar geleden uit zijn mond hoopte te horen. Enthousiast beginnen we aan een gesprek en gedurende een klein kwartier praten we elkaar bij over onze huidige situatie, over met wie we getrouwd zijn, hoeveel kinderen we hebben en wat voor soort werk we doen. Terwijl hij enige tijd praat over zijn werkzaamheden als oogchirurg – precies het beroep dat hij in de eindexamenklas al ambieerde – zakt de eerste opwinding over deze onverwachte ontmoeting weer wat weg; mijn hart klopt in ieder geval weer in het normale tempo.

Nu ik zijn gezicht van dichtbij zie, valt me eigenlijk voor het eerst op dat hij helemaal geen aardige ogen heeft. Het lijkt wel of de kleur verbleekt is vergeleken met wat ik me herinner, het zijn net vissenogen, een beetje glazig en kil. En naarmate het gesprek vordert, komt zijn stem ook zo eentonig over, hij dreutelt maar voort over die enge staaroperaties waar hij goudgeld mee verdient. Wat kan mij het schelen dat hij daar een duur zeiljacht van heeft kunnen aanschaffen? Ik betrap me erop dat ik na tien minuten naar een excuus begin te zoeken om weer verder te kunnen lopen. Als we enkele minuten later daadwerkelijk afscheid nemen, is de verliefdheid van vroeger vakkundig de nek om gedraaid. Nog geen vijftien minuten heeft de hernieuwde kennismaking geduurd en nu al vraag ik me af: 'Hoe is het in godsnaam mogelijk dat ik vroeger zo hopeloos verliefd was op deze zelfingenomen zeurkous? Hoe kon ik zo verblind zijn dat al die minder leuke kanten me nooit zijn opgevallen?'

Dat de tijd korte metten maakt met de meeste verliefdheden zien we regelmatig in televisieprogramma's die beogen verliefden van weleer bijeen te brengen. Het contrast tussen toen en nu is het scherpst als het gaat om vakantieliefdes die intens werden beleefd in het buitenland. Je ziet een foto van een rank meisje, een zo uit de hemel gevallen engel met lange zwarte haren en grote donkere ogen. Ze zit op het strand, verstrengeld met een sproetige jongen, een onvervalste Hollander, overbelicht door zijn bleekheid. De sproetige jongen van weleer, bijna vijftig jaar later uitgegroeid tot een corpulent heertje in vakantiekleren, houdt nu de foto tussen duim en wijsvinger, aangedaan door een emotie die niet past bij zijn huidige voorkomen. Zijn vrouw is kort geleden overleden, legt hij uit aan de interviewster en aan de rest van Nederland die door het sleutelgat van de televisie meeloert, en de gedachte aan dit onschuldige Griekse meisje laat hem sindsdien niet meer los. Het contact is indertijd verwaterd omdat ze geen taal hadden waarin ze konden communiceren maar dat de verliefdheid nooit helemaal is overgegaan, zoveel wordt wel duidelijk uit het korte interview.

Het beeld verplaatst zich vervolgens naar een vrouwtje dat in de verte op een bank zit, met uitzicht op een adembenemend mooie baai. Via een tolk meldt het vrouwtje aan de interviewster dat het leven op dit Griekse eiland niet eenvoudig is geweest, ze heeft altijd van weinig geld moeten rondkomen. Ach ja, die Hollandse jongen herinnert ze zich wel, een goeie jongen, maar zo vreselijk verlegen. Ze had vrij kort na die zomer haar man ontmoet en inmiddels heeft ze drie kinderen en tien kleinkinderen. Ze zit wat onbeholpen daar op het bankje in haar onflatteuze jurk, het kortgeknipte haar bijna helemaal grijs, met perfecte kunsttanden in de mond.

Hier zou het beeld moeten ophouden, want we weten eigenlijk wel genoeg, het punt dat alles – ons lichaam, verliefdheid – vergankelijk is, is al gemaakt. Maar nee, deze mensen moeten ook daadwerkelijk met elkaar in contact worden gebracht. En dus loopt een halve eeuw na de volmaakte vakantieliefde het corpulente heertje schutterig naar het grijze vrouwtje op de bank en omhelst haar zelfs, daartoe buiten de camera aangespoord door de regisseur van het programma. Hij zegt een paar woorden in het Engels tegen haar, waarop ze hulpeloos teruglacht, want lang geleden kon ze geen woord Engels spreken en dat is altijd zo gebleven.

Heel soms zijn in dergelijke programma's beide partijen nog steeds verliefd. Wíj kunnen, terwijl we over hun schouder meekijken, ons niet voorstellen hoe deze gerimpelde appeltjes zich tot elkaar aangetrokken voelen, maar de hoofdpersonen zien helemaal geen rimpels, ze zien nog steeds die oogverblindende jonge mensen die ze zelf ooit waren. Maar deze geconserveerde verliefdheid is heel uitzonderlijk, meestal denken ze al snel hetzelfde als wat mij overviel in de schoolgang: hoe is het in godsnaam mogelijk dat ik ooit verliefd op die ander ben geweest? Voor het programma en de voyeurs in Nederland moeten deze stakkers nu nog een paar dagen met elkaar optrekken. Zonder tolk kunnen ze geen woord met elkaar wisselen; dat kon vroeger ook niet, maar wat ze in de conversatie tekortkwamen, werd wel goedgemaakt door wat ze van elkaars lichaam zagen en voelden. Nu dat is weggevallen stokt het gesprek, niet alleen door de taalbarrière maar veeleer omdat ze niets te bespreken hebben, ze leven op een andere planeet. Bij de man die dit alles in gang heeft gezet komt na de eerdere verliefdheid nu ook weer de herinnering terug waarom het ooit is uitgeraakt, het was door ditzelfde gebrek aan verbondenheid.

In een huwelijk gaat het verouderingsproces natuurlijk heel geleidelijk, dus het schokeffect van zo'n hereniging na vijftig jaar wordt je bespaard, maar ook in een langdurige relatie zijn er momenten waarop de man naar zijn echtgenote kijkt en denkt: dat haar is niet meer wat het geweest is en ze heeft de laatste jaren ook vetrollen en een gerimpelde huid gekregen. Maar het maakt me eigenlijk helemaal niets uit, het is een lief mens en ze kookt heerlijk; we hebben het goed samen. De verliefdheid is voorbij, wat overblijft noemen we liefde.

Je hebt natuurlijk wel een beetje last van beroepsdeformatie als je zelfs begrippen als verliefdheid en liefde vanuit hun neurobiologische achtergrond probeert te begrijpen, maar als je geïnteresseerd bent in de biologische basis van gedrag, hoe kun je dan om verliefdheid heen? Want laten we wel wezen: zelden gedragen mensen zich zo merkwaardig als wanneer ze verliefd zijn.

Terwijl ik verder door de gang van de school loop, denk ik nog even aan die eerste echte verliefdheid. Nachtenlang kon ik er niet van slapen en lag ik maar na te denken over wat ik wel of juist niet zou zeggen als ik hem tegen zou komen. Ik kon aan niets anders meer denken, ook overdag niet, behalve aan die ene jongen, aan hoe ik mijn route van de ene naar de andere klas zo kon plannen dat ik de grootste kans liep hem tegen te komen. Ik wist waar hij woonde, met wie hij omging, op welke voetbalclub hij zat, zijn lesrooster kende ik uit mijn hoofd, ik kende zijn dagindeling beter dan hijzelf; en dat alles om hem maar 'toevallig' tegen het lijf te lopen. Dat gebeurde dan ook regelmatig, maar het plan voorzag helaas niet in de moed om hem dan aan te spreken. Zelfs als onze wegen elkaar niet echt kruisten meende ik hem nog overal te zien. Als ik in de stad liep en in de verte iemand zag met net zulk haar brak het zweet me al uit. Dan versnelde ik mijn pas om hem in te halen, maar altijd als ik dichterbij kwam bleek hij het niet zijn. Ik was euforisch als hij me tijdens de les een pen leende maar verkeerde in diepe wanhoop als ik hem geanimeerd met een ander meisje zag praten. Het uitblijven van enig vervolg maakte de verliefdheid alleen maar heviger. Op al deze gevoelens, deze obsessie voor één persoon, had ik geen enkele invloed; het hield me dag en nacht bezig.

Dit hele verhaal is een volstrekte doorsnee-ervaring en allerminst bedoeld om aandacht te vragen voor mijn bijzondere liefdesleven. Ik noem al deze gedragingen omdat ze zo prachtig te verklaren zijn uit wat er in je hersenen plaatsvindt tijdens verliefdheid.

Onderzoek van de laatste jaren met beeldverwerkende technieken heeft inzicht gegeven in de hersengebieden die sterker of juist minder sterk werken bij mensen die hevig verliefd zijn in vergelijking tot degenen die zich tijdelijk in rustiger vaarwater bevinden. Eerst maar eens de hersendelen die minder sterk geactiveerd zijn tijdens verliefdheid: de frontale schors (aan de voorkant van de hersenen), de pariëtale schors (bovenaan, meer naar achteren), het middelste deel van de temporale lob (aan de zijkant van de hersenen) en een klein gebied meer onder in de hersenen, de amandelkern. Die amandelkern is een hersengebied dat betrokken is bij angstgevoelens. Door een minder sterke werking van de amandelkernen wordt voorkomen dat de verliefde mens een negatieve emotie ervaart bij het zien van de persoon waar het allemaal om draait. De andere hersengebieden zijn onder meer van belang bij het kritisch beschouwen van de medemens. Door de verminderde activiteit in dit circuit blijft de kritische beschouwing daarom tijdelijk uit. De ongelukkigen waarbij dit circuit altijd op volle toeren draait, maken het zichzelf vrijwel onmogelijk om verliefd te raken. Ze kijken onder alle omstandigheden kritisch de wereld in zodat ze tijdens de eerste toenadering al dat wratje naast de neus van de ander zien of menen dat de persoon met wie ze langdurig hebben getongzoend wel eens iets aan gebitsverzorging mag doen. Voor een goede verliefdheid is onderdrukking van de frontale schors onontbeerlijk. Van het genoemde circuit wordt ook aangenomen dat het essentieel is voor het besef dat iemand anders niet noodzakelijkerwijs hetzelfde denkt als jij, een begrip dat de *theory of mind* wordt genoemd. Dat besef ontwikkelt zich in het leven pas geleidelijk. Kinderen tot een jaar of drie kunnen bijvoorbeeld niet begrijpen dat niet iedereen hetzelfde denkt als zijzelf, dus als je een theedoek over hun hoofd gooit waardoor zij jou niet zien, denken ze dat jij hen ook niet ziet. Na de kleutertijd kan vrijwel ieder gezond mens zich wel verplaatsen in wat een ander mogelijk zou kunnen denken; tenminste, totdat de verliefdheid toeslaat, want dan ga je er stilzwijgend van uit dat je helemaal op één lijn zit met die ander. Op het moment dat je gaat denken: wat een rare denkbeelden houdt hij (of zij) erop na, valt het eerste wak in de verliefdheid. Samenvattend kun je stellen dat allerlei lastige invloeden die de romance zouden kunnen verstoren afdoende onderdrukt worden in de hersenen. Als de verliefdheid voorbij is, werkt het hersencircuit natuurlijk weer normaal, en dan pas vallen die vervelende eigenaardigheden van het object van je verliefdheid je op. Hopelijk ben je daar dan niet inmiddels al mee getrouwd, want dan wordt zo'n huwelijk een lange zit waarin je veel ergernissen moet onderdrukken. Ik stel hier meteen met nadruk dat ik gelukkig niet uit eigen ervaring spreek.

De afgenomen activiteit in bovenstaand circuit komt niet uit de lucht vallen, maar houdt verband met enkele gebieden die juist sterk geactiveerd worden tijdens verliefdheid, zoals gebieden die betrokken zijn bij de aanmaak en afgifte van dopamine, een verbinding (neurotransmitter) die de overdracht van signalen in de hersenen beïnvloedt. Een verhoogde afgifte van dopamine brengt je in een goede stemming, het versterkt het idee dat wat je aan het doen bent goed en plezierig is. Vandaar dat stoffen die de beschikbaarheid van dopamine in de hersenen bevorderen, zoals cocaïne, ook zo verslavend werken. Verliefdheid is een lichaamseigen verslaving, het houdt zichzelf keurig in stand. Afwezigheid van de situatie die dopamine vrijmaakt (die 'ander') leidt net als bij onthouding van een verslavend middel tot rusteloos zoekgedrag, verwaarlozing van je lichaam, mentale pijn, net zo lang tot de behoefte weer bevredigd wordt. Hetzelfde hersencircuit is ook betrokken bij motivatie en bij het plannen van activiteiten, zodat een bepaald doel wordt bereikt; vandaar die preoccupatie met de bezigheden van degene op wie je verliefd bent, met als enige doel een ontmoeting te forceren. Sommige neurobiologen stellen dat verliefdheid eerder een kwestie is van verhoogde motivatie dan van verhoogde emotie; dat gaat wel wat ver, maar er is zeker sprake van een zeer sterke motivatie. In dit geval is het verkeren in de aanwezigheid van de geliefde de motivatie en zelfs tijdelijk het doel van het hele bestaan geworden, op het obsessieve af.

Naast dopamine is ook een andere neurotransmitter, (nor)adrenaline, verhoogd aanwezig, vooral als je in de buurt verkeert van degene op wie je verliefd bent. Buiten de hersenen leidt dat bijvoorbeeld tot een versnelde hartslag en zweet in de handen, in de hersenen zelf bevordert het de aandacht en het kiezen van een strategie die optimaal is om het beoogde doel te bereiken. Een derde neurotransmitter, serotonine, wordt juist in verminderde mate afgegeven als mensen net verliefd raken, zodat eetlust en slaap geremd worden. Er zou alle aanleiding voor zijn om verliefdheid in het handboek voor psychiatrische aandoeningen op te nemen, ware het niet dat het meestal vanzelf overgaat en dat mensen het over het geheel genomen als iets positiefs ervaren dat (afgezien van de allereerste fase) niet onverenigbaar is met het normale, dagelijkse bestaan.

Verhoogde afgifte van dopamine bevordert (vooral in

mannen) ook de afgifte van het geslachtshormoon testosteron. Testosteron en verwante verbindingen werken op heel andere gebieden in de hersenen, zoals een verzameling kernen onder in de hersenen (de hypothalamus) en een klein gebied ergens binnenin, rond een kanaal waar hersenvocht doorheen loopt. Deze gebieden worden actief als er sprake is van verhoogde seksuele gevoelens en het openstaan voor toenadering. Verliefdheid en seksuele driften huizen dus in verschillende delen van de hersenen – ze kunnen zich ook los van elkaar voordoen –, maar via de neurotransmitters kunnen ze wel aan elkaar gekoppeld worden. Niet alleen leidt dopamine tot meer testosteron, testosteron kan op zijn beurt weer aanleiding geven tot verhoogde afgifte van dopamine, hetgeen helpt om de keus en voorkeur voor een bepaalde partner te bevestigen en in stand te houden, in ieder geval zo lang als nodig is om je succesvol voort te planten. Dat moet nu eenmaal om de soort in stand te houden; als je daar met behulp van voorbehoedsmiddelen op gaat ingrijpen, zet je de bijl aan de wortel van ons voortbestaan.

Bij mensen die al wat langer verliefd op dezelfde partner zijn, ziet de hersenactiviteit er anders uit dan bij personen die pas sinds kort verliefd zijn geraakt. Hoe langer de verbintenis duurt, hoe groter de kans dat twee andere stukjes van de hersenschors actief worden en een gebied dat betrokken is bij het bestendigen van relaties tussen twee individuen, niet alleen bij mensen maar ook bij allerlei andere diersoorten. In deze gebieden zijn twee nauw verwante hormonen werkzaam, oxytocine en vasopressine, die zorgen dat twee partners een duurzame band aangaan en zich hechten aan elkaar, zodat er niet alleen voortgeplant wordt maar de nakomeling ook wordt verzorgd totdat deze zelfstandig is. Wat er gebeurt als deze hormonen hun werk niet kunnen doen, weten we uit studies met woelmuizen. Een bepaalde variant van deze diertjes die in de prairie voorkomt staat bekend om zijn zorgzame en monogame levenswandel. Deze prairiewoelmuizen vertonen een kleine afwijking in het gen dat codeert voor de vasopressinereceptor (het molecuul waar vasopressine aan moet binden om zijn werking uit te kunnen oefenen) waardoor ze meer van deze vasopressinereceptoren aanmaken. Heel anders ligt dat bij woelmuizen die in de bergen leven en veel lagere niveaus van vasopressinereceptoren aanmaken; deze muizen leiden een zeer losbandig leven. Je kunt ze wel oppassend maken mits je maar door genetische technieken zorgt dat ze meer vasopressinereceptoren krijgen. Ze hechten zich dan meteen aan het eerste het beste vrouwtje waar ze op dat moment mee verkeren en blijven strikt monogaam, zelfs als ze vervolgens omringd worden door een harem van aantrekkelijke woelmuizen.

Of vasopressinereceptoren ook een dergelijke functie hebben bij mensen is op dit moment nog niet vastgesteld. In ieder geval weten we wel dat ook bij mensen kleine afwijkingen in het gen van de vasopressinereceptor voorkomen, waardoor sommigen onder ons meer receptoren aanmaken dan anderen.

Wanneer je net heerlijk verliefd bent geworden moet je natuurlijk niet denken aan al deze processen die zich in je hoofd afspelen, dat zou alle romantiek aan de gebeurtenis ontnemen. Maar als de relatie weer voorbij is en je jezelf de vraag stelt: 'Hoe is het in godsnaam mogelijk et cetera'... voor die mensen is het heel geruststellend om te weten dat het allemaal nauwelijks te controleren hersenprocessen zijn die geregeerd worden door neurotransmitters en hormonen.

Slapend wijs

DROMEN, SLAAP EN LEREN

De gymnastiekzaal ligt er verlaten bij, opgeruimd en flink schoongeboend voor de gelegenheid; je ruikt zelfs nauwelijks de karakteristieke zweetlucht die altijd in de kleedkamers hing. Jarenlange ervaringen met zwaantje in de ringen, apenspel en sporttoernooien kleven de zaal aan. Toch moet ik niet daaraan denken als ik even om de hoek van de deur kijk, maar aan de laatste keer dat ik in die ruimte verkeerde: tijdens het eindexamen.

Zeker nog eenmaal per jaar word ik 's nachts hevig transpirerend wakker uit een angstdroom over het eindexamen. Ik geloof niet dat ik indertijd werkelijk slecht sliep in het vooruitzicht van het examen maar in mijn dromen gebeuren altijd allerlei calamiteiten waar ik mij blijkbaar onbewust ernstig zorgen over maakte of nog steeds maak. Een terugkerend thema is het langzaam doordringend besef dat ik een essentieel element voor het eindexamen vergeten heb mee te nemen van huis. De ene keer is het mijn geodriehoek, een andere keer het woordenboek Grieks. Ik voel de wanhoop opkomen als ik tijdens dat gedroomde examen geleidelijk besef de Griekse tekst onmogelijk te kunnen vertalen zonder woordenboek. Het gaat hier duidelijk om een droom want als ik wakker ben weet ik heel goed dat ik zelfs mét het woordenboek nog geen regel meer zou kunnen vertalen. In de droom schrijf ik enkele onsamenhangende woorden op, die paar woorden die ik blijkbaar uit mijn hoofd ken. Het is maar een flits maar zelden overvalt me zo'n diep gevoel van volstrekt en verwijtbaar falen. In het echte leven kun je zulke situaties nog rationaliseren ('het wordt wel gecompenseerd door mijn schoolexamen') maar logisch denken is er in dromen meestal niet bij.

De gedachte dat slapen een periode van geestelijke windstilte is, is een misvatting. Er gaat heel wat hersenactiviteit in ons hoofd om als de rest van ons lichaam in diepe rust verzonken is. Men heeft zelfs wel gedacht dat slaap dé periode is waarin informatie die we overdag hebben opgenomen, wordt verwerkt en opgeslagen, omdat onze hersenen tijdens de slaap ongestoord door allerlei indrukken van buitenaf te werk kunnen gaan en zich kunnen concentreren op informatie die nog niet stabiel opgeslagen ligt. Zo extreem ligt het niet, maar de aanwijzingen dat slapen zeker helpt om nieuwe informatie goed te verankeren worden steeds overtuigender. De benaderingen om dat aan te tonen vallen grofweg uiteen in drie categorieën. Ten eerste kun je onderzoeken of een tekort aan slaap van invloed is op het leren en opslaan van nieuwe gegevens en ideeën; als dat proces door slaapgebrek verstoord wordt, kun je daaruit afleiden dat slaap blijkbaar onontbeerlijk is om het proces normaal te laten verlopen. Bij de tweede benadering gaan onderzoekers na of een periode van slaap (overdag of 's nachts) helpt om tot betere geheugenprestaties te komen. Ten slotte kun je onderzoeken of hersencircuits die actief zijn tijdens het leerproces opnieuw geactiveerd worden tijdens een aansluitende slaapperiode en of deze activiteit samenhangt met een betere geheugenprestatie. De resultaten van al deze studies wijzen in één richting: of we slapend rijk kunnen worden is nog zeer de vraag, maar dat we slapend wijs worden staat inmiddels wel vast.

Wat hebben de studies ons geleerd over de invloed van slaaptekort op ons vermogen tot leren en onthouden? Nou, daar schrik je van. Als proefpersonen de nachtrust wordt onthouden, vertonen ze een zeer sterke afname – tot wel 40 procent – in het vermogen om nieuwe informatie op te slaan, zoals een lijst van woorden of de volgorde van een reeks gebeurtenissen. Het duidelijkst is het effect voor informatie met een positieve strekking; negatieve ervaringen of woorden worden nog steeds wel goed opgenomen. Zo'n selectie in het vastleggen van gebeurtenissen kan dus een behoorlijk zwarte kijk op het leven geven na een doorwaakte nacht. Vooral het verstoren van een bepaalde fase van de slaap – de rem (*rapid eye movement*)-slaap, die voorkomt in korte periodes waarin we licht slapen en veel dromen, met name aan het eind van de nacht – belemmert het leren van nieuwe informatie.

En wat je geestelijk niet tot je kunt nemen, zelfs niet door extra training tijdens het leerproces, kun je ook niet onthouden, zodat zelfs dagen na de periode van slaaptekort de proefpersoon of het proefdier slechter presteert in het ophalen van informatie die kort na de verstoorde nachtrust moest worden geleerd.

Een tekort aan slaap is ook funest als het gaat om het stabiel vastleggen van gegevens die voor het slapengaan zijn aangeleerd. Dat is een consistente bevinding, niet alleen bij mensen, maar in allerlei diersoorten zoals ratten, muizen en vogels. Als ik dit soort resultaten lees, denk ik altijd weemoedig aan al het intellectuele vermogen van jonge mensen dat verloren gaat omdat een beetje hip feest pas om twaalf uur 's nachts mag beginnen en voortduurt tot diep in de nacht, waarna het onderwijs op school of de universiteit gewoon weer om negen uur 's ochtends begint. Hoe geniaal zou mijn zoon niet kunnen zijn als hij zeven uur per nacht zou slapen, in plaats van midden in de nacht met een pilsje in de hand urenlang bij te praten met andere studenten? Zelf meent hij overigens dat deze ontspannen leefstijl en het hiermee verband houdende vermijden van iedere stress juist bijdraagt aan zijn intellectuele prestaties, maar de wetenschappelijke basis voor dat standpunt is flinterdun.

Als je anderzijds leest welke wonderen een goede nachtrust of zelfs een middagdutje kunnen verrichten, dan heb je zin om terstond onder zeil te gaan. Slaap lijkt vooral te bevorderen dat zwakke associaties die overdag zijn gelegd worden bestendigd. Als je bijvoorbeeld overdag leert dat een loodlijn iets met wiskunde te maken heeft, dan is dat een associatie die 's nachts wordt versterkt. De gevolgen zijn opmerkelijk. Mensen die aan het eind van de dag een kleine vingeroefening moesten aanleren alsof ze een deuntje op de piano speelden presteerden na een nachtje slapen veel beter en sneller dan de avond ervoor.[1] Dat was niet een kwestie van de hoeveelheid tijd die was verstreken na het aanleren, want een andere groep die 's ochtends was getraind vertoonde na een vergelijkbaar interval aan het eind van de dag geen enkele verbetering. De verbeterde motoriek was ook alleen te zien in de getrainde hand, en uitsluitend voor het aangeleerde wijsje. De nachtrust had de proefpersonen geholpen om de moeilijke punten in de volgorde van de bewegingen te overwinnen en het geheel te automatiseren. De uitdrukking 'ik moet er nog eens een nachtje over slapen' komt door deze studie in een heel ander daglicht te staan. Ook een middagdutje helpt al om eerder geleerde informatie beter te onthouden, zoals een reeks van vingerbewegingen of een lijst van woorden. Bij dezelfde taak met de vingeroefening bleek helaas dat dan de normaal optredende verbetering tijdens de daaropvolgende nachtrust minder spectaculair was, zodat het uiteindelijke resultaat vergelijkbaar was met een nacht goed slapen zonder dutje. Het verplicht instellen op wetenschappelijke gronden van een siësta ter bevordering van onze leervermogens moet dus nog even uitgesteld worden.

Maar slaap doet meer dan ons helpen om eerder geleerde informatie beter te onthouden, we worden er ook slimmer door. Dit bleek uit een prachtig experiment waarbij mensen gevraagd werd een reeks van simpele rekenkundige bewerkingen uit te voeren.[2] Deze taak werd in blokken van zeven opdrachtjes aangeboden, resulterend in zeven antwoorden waarbij de proefpersonen te horen kregen dat het uitsluitend ging om het laatste antwoord. De taak was echter zo opgesteld dat het tweede antwoord uit de reeks van zeven altijd gelijk was aan het laatste, beslissende antwoord. Zodra dit inzicht verkregen was, konden de proefpersonen na twee antwoorden al meteen het laatste antwoord invullen, zonder de rest van de opdrachtjes door te werken, zodat de tijd benodigd voor het juiste antwoord drastisch afnam. Diegenen die een nachtje hadden kunnen slapen na de eerste oefening kwamen veel sneller tot dit verlossende inzicht dan degenen die het zonder slaap hadden moeten stellen. Hierbij dus een advies aan alle scholieren: laat dat wiskundeboek onder je kussen maar weg, dat is nergens goed voor en het ligt alleen maar ongemakkelijk. De slimme inzichten komen geheel draadloos tot je, gewoon door er een nachtje over te slapen, vooropgesteld natuurlijk dat de eerste oefening voor het slapengaan heeft plaatsgevonden. Even snel 's ochtends voor school de stof nog leren heeft geen zin, die tijd moet je de avond daarvoor investeren.

Maar hoe kan dit nu eigenlijk? Waarom komen we meer geleerd uit onze nachtrust? Daarvoor moet je kijken naar de hersenactiviteit die zich tijdens de slaapperiode afspeelt. Vooral activiteit tijdens bepaalde fases van de slaap zijn van belang. Zo melden meerdere studies dat de geheugenprestaties na een periode van slaap per individu ofwel mooi samenhangen met de mate van remslaap, of juist met slaapfases die eerder in de nacht plaatsvinden en die gekarakteriseerd worden door langzame golven van activiteit. Als je de circuits onderzoekt die in deze fases van de nacht actief zijn, vertonen ze een grote overeenkomst met de gebieden die ook tijdens het aanleren van de taak geactiveerd worden. Een van die gebieden die bij deze herhalingsoefening tijdens de slaap wordt geactiveerd is de hippocampus, de zeepaardachtige structuur die er onder meer voor zorgt dat nieuwe informatie met eerder opgeslagen, vergelijkbare informatie wordt vergeleken en haar plaats in ruimte en tijd krijgt. Door de werking van de hippocampus wordt besloten of nieuwe feiten naar de schors worden doorgesluisd zodat ze langdurig worden ingepast in vergelijkbare, eerder opgeslagen ervaringen of dat ze het onthouden niet waard zijn. Bij mensen laten de huidige technieken nog niet toe om meer te zien dan het al dan niet optreden van verhoogde activiteit in een gebied zoals de hippocampus, maar in proefdieren kan men met geavanceerde methodes veel beter bekijken wat er precies gebeurt tijdens de slaap. En dan blijkt iets verrassends. Patronen in de activiteit van hippocampuscellen die optreden tijdens het aanleren van nieuwe vaardigheden worden 's nachts versneld afgespeeld; het is alsof je overdag een scene meemaakt die 's nachts een aantal malen versneld wordt doorgespoeld. Dit is nog maar het begin van ons begrip over hoe slaap helpt om informatie beter te onthouden. De komende jaren zal steeds duidelijker worden hoe onze hersenen precies helpen om te leren en onthouden wat we overdag hebben meegemaakt, en dat alles geheel gratis, zonder enig merkbare inspanning, terwijl we heerlijk op één oor liggen.

Al deze gegevens laten zien dat onze hersenactiviteit niet tot stilstand komt als we gaan slapen, integendeel. Terwijl we slapen komt er weinig nieuwe informatie bij, omdat processen die bewustzijn vereisen tijdelijk zijn uitgeschakeld, maar dat geeft de gelegenheid om reeds opgedane kennis te herkauwen. Zaken die ons recent zijn overkomen worden vergeleken met eerdere gebeurtenissen die tijdelijk toegankelijk gemaakt worden in ons geheugen. Het tijdelijk weer opengaan van ons geheugen is niet helemaal strak geregisseerd; daar zit waarschijnlijk een component van toevalligheid in. Gebeurtenissen die normaal gesproken niet met elkaar vergeleken worden, kunnen dan een toevallige associatie krijgen. Je droomt over de portier van je werk – rond de zestig met een uitgezakt figuur – en in je droom ontwikkel je opeens gevoelens voor hem die eigenlijk horen bij een verliefdheid van twintig jaar geleden. Zo sterk zijn dergelijke associaties soms dat je de volgende ochtend de portier, die nog nooit eerder bijzonder warme gevoelens bij je had opgeroepen, toch opeens met andere ogen bekijkt, al wordt je beeld meestal binnen een dag weer bijgesteld door de werkelijkheid. Dat maakt dromen zo'n avontuurlijke bezigheid: het doet een beetje denken aan het tekenspelletje waarbij de eerste deelnemer een hoofd tekent, de tweede (zonder het hoofd te zien) er een lijf aan past en de derde onwetend van de rest de figuur van benen voorziet. Het is een reeks van deels toevallige associaties waar we geen bewuste controle over uit kunnen oefenen. Intussen worden nuttige associaties, vooral van verse gegevens, ook versterkt, zodat we tussen de avontuurlijke dromen door ook nog belangrijke dingen vastleggen.

Jarenlang ben ik licht afgunstig geweest op mensen die met slechts vier uur slaap toe kunnen, terwijl ik zelf geen mens meer ben als ik minder dan zes uur heb geslapen. Stel je toch eens voor dat je per dag enkele uren uitspaart op het slapen, wat kun je daarin niet allemaal tot stand brengen? Gelukkig heb ik daar na het lezen van al die slaapstudies heel wat minder moeite mee gekregen, omdat het nu zonneklaar is dat we niet voor niets een kwart tot een derde deel van ons leven slapend doorbrengen. In tegenstelling tot die kortslapers, die zich midden in de nacht nog zwoegend buigen over hun boeken om wijzer te worden, pakken wij als langslapers het intelligenter aan: uiteindelijk bereiken we hetzelfde kennisniveau, maar dan slapend(er)wijs.

Verschillend en toch gelijk?

AANLEG VOOR BÈTAVAKKEN

In mijn eindexamenjaar zaten ongeveer evenveel jongens als meisjes. De gemiddelde leeftijd en het slagingspercentage onder beide groepen was heel vergelijkbaar. Maar daar hield de overeenkomst tussen beide geslachten wel zo'n beetje op. Nadere inspectie leerde dat de verdeling van de jongens en meisjes over de klassen heel verschillend was. In mijn klas, waar de leerlingen in alle exacte vakken eindexamen deden, waren slechts drie meisjes op een totaal van eenentwintig leerlingen, terwijl in de klas waar de leerlingen talen in plaats van exacte vakken hadden gekozen de jongens verreweg in de minderheid waren. Als u denkt dat deze keuze van vakken iets van het verleden is, dan moet ik u uit de droom helpen. Tot voor kort koos nog geen 2 procent van de meisjes op de havo voor het meest exacte eindexamenprofiel; op het vwo was het gelukkig aanzienlijk beter: daar koos wel 5 procent van de meisjes voor deze richting. Dan deden wij het vijfendertig jaar geleden in verhouding nog beter. Zijn vrouwenhersenen echt zo bèta-dom?

In sommige gezelschappen is het gangbaar om te zeggen dat de hersenen van vrouwen zich in niets onderscheiden van die van mannen: als vrouwen zich niet zouden laten storen door maatschappelijke stromingen en er echt voor zouden gaan, kunnen hun hersenen precies zo functioneren als de hersenen van mannen. Dat is net zoiets als beweren dat als vrouwen zich niet laten kisten door sociale patronen ze gemiddeld even lang kunnen worden en net zo veel spierkracht ontwikkelen als mannen. Het is gewoon niet waar en als de evolutionaire druk zich zo blijft ontwikkelen als hij de afgelopen miljoenen jaren heeft gedaan zal het ook nooit waar worden. Het lichaam van mannen en vrouwen is verschillend, inclusief hun hersenen.

Om te beginnen is het volume van mannelijke hersenen gemiddeld ruim 100 cc groter; om het even in perspectief te zetten, dat komt ongeveer overeen met 3 glazen jenever. Het relatieve aandeel van de verschillende hersengebieden is ook geslachtsafhankelijk. De meeste studies laten zien dat verhoudingsgewijs bij vrouwen de grijze massa (een index voor het aantal hersencellen) meer plaats inneemt in het totaal van de hersenen dan bij mannen, terwijl bij de laatsten relatief meer witte massa (een maat voor de vezels) is dan bij vrouwen. Wat dat betekent voor hun hersenfunctie en vooral voor hun bètaslimheid is natuurlijk nog maar de vraag. Afgezien van enkele nauw omschreven gebieden onder in de hersenen die gemiddeld bij vrouwen een andere omvang hebben dan bij mannen hebben de studies niet erg consistente verschillen laten zien in de relatieve omvang van hersengebieden die belangrijk zijn voor ons denkvermogen. De conclusie is dat als je hersenen opmeet, er gemiddeld verschillen tussen man en vrouw bestaan, maar dat dit niets helpt om vast te stellen of vrouwenhersenen minder geschikt zijn voor het oplossen van wiskundige problemen.

Daarom kunnen we beter kijken of vrouwenhersenen anders *functioneren* tijdens het uitvoeren van wiskundige handelingen dan die van de mannelijke exemplaren. Om dit objectief vast te stellen is nog niet zo eenvoudig. Neurobiologen grijpen voor het beantwoorden van hun vragen altijd meteen naar een simpel proefdier dat model kan staan voor de mens, omdat je nu eenmaal in dat proefdiermodel veel meer details kunt onderzoeken en onder veel beter gecontroleerde condities kunt werken dan bij de mens. Nu moet je bij een muis of rat niet te hoog mikken als je hun hersenwerking tijdens het oplossen van een wiskundig probleem wilt toetsen. Maar één onderdeel van de wiskunde beheersen ze goed, en dat is ruimtelijk inzicht, een onderdeel waarvan bij schoolkinderen is vastgesteld dat jongens daar inderdaad beter in zijn dan meisjes, al valt niet helemaal uit te sluiten dat eerdere levenservaring (zoals het oefenen van ruimtelijke taken bij computerspelletjes) daarop van invloed is.

Het oriënteren in de ruimte is voor knaagdieren een belangrijke functie, omdat ze op zoek naar voedsel altijd de locatie van foerageerplaatsen ten opzichte van het nest moeten kunnen onthouden. Toch weten we relatief weinig over de neurobiologische basis van sekseverschillen in ruimtelijke oriëntatie bij proefdiermodellen, om een heel simpele reden: men doet vrijwel uitsluitend onderzoek aan mannelijke muizen en ratten. De feministen onder de knaagdieren hebben nog een lange weg te gaan. Onderzoekers hebben een grote weerzin om met vrouwelijke proefdieren te werken, want die hebben een hormonale cyclus, een extra factor om rekening mee te houden in het onderzoek. De cyclus bij de meest favoriete proefdieren (muis en rat) is veel kortademiger dan bij mensen, iedere vier dagen begint weer een nieuwe cyclus. Als je twee vrouwelijke diertjes in hun gedrag vergelijkt, is er dus een kans van één op vier dat ze in dezelfde fase van de cyclus zitten. En die fase blijkt uit te maken. Zo wijzen de meeste studies uit dat hoge niveaus van oestradiol, hetzelfde hormoon dat ook een hoog niveau kent tijdens de eisprong bij mensen, gepaard gaan met goede prestaties in ruimtelijke leertaken. In de opmaat voor seksuele ontvankelijkheid neemt ook de functie en het aantal contacten tussen hersencellen die belangrijk zijn voor ruimtelijke oriëntatie toe, en dat is altijd handig als je de weg wilt vinden naar reproductief aantrekkelijke mannetjes. Je moet dus eigenlijk de prestaties van mannen vergelijken met die van vrouwen in een goed omschreven fase van de cyclus. Uit dat onderzoek is naar voren gekomen dat vrouwelijke proefdieren over het algemeen vrij goed presteren in ruimtelijke leertaken, al gebruiken ze daar meestal wel een andere strategie voor dan de mannen. Vrouwelijke ratten en muizen zijn verhoudingsgewijs het minst in vorm als ze het moeten hebben van een soort denkbeeldige kaart van de omgeving waarmee ze zich moeten oriënteren, maar ze functioneren prima als het erom gaat de locatie van voorwerpen ten opzichte van elkaar of henzelf te leren. Je zou kunnen zeggen dat ze een meer concrete en minder abstracte vorm van ruimtelijk inzicht hebben.

De afgelopen tien jaar is ook bij de mens onderzoek gedaan naar de hersengebieden die van belang zijn bij wiskundige bewerkingen. Bij rekenen bijvoorbeeld, waarin vrouwen over het algemeen net zo goed of zelfs beter presteren dan mannen, blijkt een grote betrokkenheid van hersencircuits die ook een rol spelen bij taalverwerking, vooral als het gaat om het precieze cijferwerk. Als de proefpersonen wordt gevraagd het antwoord te schatten voert een ander circuit de boventoon, namelijk de hersengebieden die van belang zijn bij ruimtelijke informatie. Bij dit soort rekenkundige bewerkingen wordt het functioneren uiteindelijk dus bepaald door de geïntegreerde werking van twee verschillende hersencircuits. Mogelijk compenseren vrouwen hun mindere functie in het ruimtelijke circuit met een betere prestatie in het taalcircuit, zodat ze gemiddeld op dezelfde prestaties uitkomen. Ook als het gaat om een ruimtelijke geheugentest gebruiken vrouwen een meer op taal gerichte strategie dan mannen.

Gemiddeld zijn de hersenen van vrouwen dus anders gebouwd en functioneren ze anders dan de hersenen van mannen, ook tijdens het oplossen van wiskundige en ruimtelijke problemen. Leiden die verschillende hersenwerkingen dan tot mindere prestaties in de bètavakken bij vrouwen? Als je naar de keuze van schoolvakken en universitaire studies in Nederland kijkt, zou je vermoeden dat dit inderdaad het geval is. Maar dit beeld van een enkele vrouwelijke student natuurkunde of sterrenkunde per studiejaar waar wij in Nederland zó vertrouwd mee zijn geraakt dat we het niet eens meer opmerkelijk vinden, wekt grote bevreemding bij mensen uit andere werelddelen. 'Wat is er met al jullie vrouwelijke studenten gebeurd?' vroeg een Argentijnse sterrenkundige me eens verwilderd. In haar thuisland waren ongeveer evenveel meisjes als jongens in haar studiejaar geweest en ze begreep totaal niet waarom ze de enige vrouw was op de sterrenkundige afdeling waar ze in Nederland haar studie voortzette. Ze was nooit op het idee gekomen dat vrouwen minder goed in exacte vakken zouden zijn dan mannen.

Recente getallen geven haar ook gelijk. In de Verenigde Staten heeft een grote studie onder 280.000 kinderen laten zien dat – zeker nu meisjes daar ook in groten getale wiskundige onderwerpen kiezen op school – er geen enkel statistisch verschil meer kan worden aangetoond in de wiskundeprestaties tussen jongens en meisjes.[1] Het aandeel jongens onder de uitzonderlijk begaafde studenten bleek vooral afhankelijk van de etnische (en waarschijnlijk culturele) achtergrond: bij kinderen met een Aziatische achtergrond waren onder de bollebozen de meisjes in de meerderheid, bij de blanke Amerikanen blonken juist weer meer jongens uit.[2] Die invloed van cultuur is ook naar voren gekomen uit een andere recente studie, die laat zien dat het presteren van meisjes ten opzichte van jongens in wiskunde sterk correleert met de mate waarin vrouwen en mannen maatschappelijk op gelijke voet opereren in het land.[3] Hoe meer de status van vrouwen wat betreft economische, politieke en onderwijskansen overeenkomt met die van mannen, hoe kleiner de achterstand van meisjes op jongens in wiskundige prestaties; in sommige landen, zoals IJsland, doen de meisjes het zelfs beter dan de jongens. De socio-economische balans tussen mannen en vrouwen is ook een goede indicator voor de leesvaardigheid van de leerlingen, met de kanttekening dat in alle landen die bij het onderzoek betrokken waren meisjes beter lezen dan jongens, met opnieuw de beste prestaties in landen waar vrouwen volop in de maatschappij meedraaien. Er bleek geen enkele correlatie tussen de uitkomst in de wiskundetoetsen en de genetische achtergrond van de bevolkingsgroepen.

Samengevat blijkt uit deze gegevens dat meisjes niet van nature slecht in wiskunde zijn, en dat als ze goede kansen krijgen ze ook prima presteren. Waarschijnlijk gebruiken ze wel andere hersengebieden en strategieën om tot goede wiskundeprestaties te komen, strategieën die resulteren in relatief goede prestaties bij rekenen en iets minder goede prestaties dan jongens bij het oplossen van ruimtelijke problemen.

Voor die enorm lage bètaparticipatie van meisjes in Nederland moeten we het dus niet zoeken in hun hersenen maar in de omgeving waarin die hersenen opereren. Nederlands onderzoek laat zien dat veel minder meisjes in 3 vwo kiezen voor een exact vakkenpakket dan op grond van hun prestaties verwacht kan worden. Dat is de laatste jaren overigens wel sterk verbeterd, maar het is nog even afwachten of de toegenomen bètakeus in 3 vwo standhoudt tot het eindexamen.

Er schort dus iets aan de manier waarop de meisjes zelf, hun ouders, de leraren en de lesmethode met de exacte vakken omgaan. Eerst maar eens de meisjes zelf. Veelzeggend is dat door een iets andere schoolopzet, waarbij in 4 vwo een aantal extra vakken wordt gekozen naast de profielvakken, het percentage meisjes dat een sterk bètagekleurd pakket kiest enorm is toegenomen: hun basispakket blijft slechts licht bètagetint, maar de extra vakken maken het, zonder dat de meisjes het zich realiseren, tot een volledig bètapakket. Het is meer een onbewuste keuze, met een voorzichtige aanvliegroute die verlaten kan worden mocht het allemaal niet lukken.

Maar wat is lukken? Meisjes, vrouwen blijken goede wiskundeprestaties eerder dan jongens toe te schrijven aan geluk dan aan hun eigen vermogens, zo heeft men vastgesteld. Ook de leraren zijn bereid bij ieder krasje in de prestaties tot voorzichtigheid te manen. 'Zou je dat zware pakket nu wel aanhouden?' vragen ze het meisje dat een paar zessen op haar rapport heeft staan. 'Straks breng je je hele examen in gevaar door die paar extra vakken die je ook wel kunt missen,' menen ze. Vergeet niet dat ook scholen tegenwoordig een rapportcijfer krijgen, onder meer gebaseerd op de eindexamenprestaties van de leerlingen; geen onnodige risico's dus. Ook ouders adviseren hun dochters om het zekere voor het onzekere te nemen, vooral naarmate ze zelf minder affiniteit met wiskunde hebben. Nederlandse meisjes zijn niet slecht in wiskunde, ze achten het gewoon een onbelangrijk vak, ze putten weinig motivatie uit zichzelf noch uit hun omgeving.

Het is allemaal subtiel en zeker minder flagrant dan mijn natuurkundeleraar die geen extra inspanning verspilde aan meisjes met mindere prestaties maar hun voor het oog van de andere leerlingen adviseerde om vooral toch goed te leren koken, want 'dan kun je later je man gelukkig maken'. Ik verwijt deze leraar niets, het was een lieve man met een wat kabouterachtig voorkomen. Hij weerspiegelde gewoon de tijdgeest waarin hij zelf was opgegroeid, maar we moeten dan ook niet verwonderd opkijken als door die tijdgeest van vijfendertig jaar geleden het aantal vrouwelijke hoogleraren natuurkunde nu in Nederland ongeveer op één hand te tellen is. Stimulans vanuit omgeving en onderbouwing van het zelfvertrouwen leiden altijd tot betere prestaties, zeker in het geval van de exacte vakken bij meisjes.

Natuurlijk bestaan er enorme verschillen tussen individuen wat betreft de bouw en werking van hun hersenen. De verschillen binnen mannen of vrouwen als groep zijn veel groter dan de verschillen tussen de twee groepen. Er is een grote overlap tussen vrouwen en mannen wat betreft hun hersenbouw, -werking en -prestaties. Toch zien gemiddeld de hersenen van vrouwen er niet helemaal hetzelfde uit als die van mannen en werken hun hersenen ook niet op precies dezelfde manier. Gemiddeld zullen vrouwen daarom ook andere interesses en talenten hebben dan mannen. Maar wat onverminderd waar blijft is dat het altijd zonde is om bestaand potentieel niet optimaal te benutten – daar is geen enkele maatschappij ooit beter van geworden.

Zo'n honderdveertig jaar geleden ging in Nederland het eerste meisje naar de middelbare school. Dat was toen gek en moest bevochten worden, nu vinden we zoiets in onze westerse wereld normaal en goed. Onze welvaartsmaatschappij is zelfs niet meer voor te stellen zonder de actieve participatie van vrouwen daarin. Het idee dat we het talent van de helft van onze jongeren niet zouden gebruiken is niet meer te accepteren. Waarom vinden dan nog steeds enorm veel mensen het volstrekt normaal dat we de helft van het bètatalent niet ontplooien? Werk aan de winkel.

Een kort lontje

AGRESSIE

Vanuit dit raam zag ik het toen gebeuren, precies vanaf deze plaats halverwege de gang op de eerste verdieping. Het was zo ongewoon op deze school dat iedereen er nog dagenlang over sprak. Beneden, op de binnenplaats, waren twee jongens aan het vechten, schreeuwend, half huilend, elkaar schoppend waar ze konden. Aanvankelijk sleurden ze elkaar in de rondte terwijl ze elkaar vasthielden aan hun jassen, maar al snel verloor een van de twee zijn evenwicht en viel op de grond, de ander met zich meetrekkend. Een paar andere jongens probeerden nog tussenbeide te komen, maar ze konden de twee die in gevecht waren verwikkeld onmogelijk van elkaar scheiden en liepen alleen zelf onbedoeld een paar klappen op. Tien meter verder stonden vijf meisjes in een groepje, elkaar beschermend, terwijl ze met afschuw naar de vechtenden keken, niet in staat zich los te maken van het beeld. Een van de meisjes was in tranen en wilde steeds naar de twee jongens lopen, maar haar klasgenoten hielden haar tegen en legden troostend hun armen om haar schouders. Het was een bijna dierlijk tafereel, iets wat helemaal niet paste bij deze school waar de ratio de boventoon voerde. In mijn gedachten ging het gevecht vreselijk lang door, maar in werkelijkheid duurde het waarschijnlijk nog geen drie minuten voordat twee leraren in allerijl naar buiten kwamen rennen en gezamenlijk de twee vechtenden uiteenhaalden. Beiden werden nu apart, onder begeleiding van een leraar, weggevoerd, wat hen er overigens niet van weerhield om nog steeds tegen elkaar te schreeuwen en schoppende bewegingen te maken. Pas toen ze in het schoolgebouw verdwenen, werd alles weer stil. In de pauze hoorde ik wat de aanleiding voor het conflict was geweest – het was niets minder dan een crime passionel. De ene jongen bleek al maanden een koppeltje te vormen met het meisje dat zo geëmotioneerd had toegekeken. Maar sinds kort waren het meisje en de andere jongen verliefd op elkaar geworden, iets wat ze gemakshalve maar niet gemeld hadden aan het vriendje van het eerste uur. Zoiets blijft natuurlijk nooit verborgen en die ochtend had de bedrogene de twee in een innige omstrengeling op het schoolplein aangetroffen.

Het scenario is zo oud als de mensheid en de heftige reactie erop ook. Het is een typisch voorbeeld van impulsieve of reactieve agressie, waarbij iemand geprovoceerd wordt tot agressieve daden door omstandigheden die negatieve emoties oproepen. Dit verschilt van proactieve agressie, een doelgerichte, voorbereide vorm van agressie zonder dat er een duidelijke provocatie aan vooraf is gegaan. Dat laatste, zeker als het gepaard gaat met een gebrek aan emotie en schuldbesef, kan op weinig sympathie rekenen in onze maatschappij, tenzij we in oorlogstijd leven en het gaat om georganiseerde agressie tegen de vijand. Maar bij reactieve agressie kunnen we ons wel iets voorstellen, tot en met de uiterste vorm waarin doden vallen, al is het zeer cultuurafhankelijk of de wet het accepteert als een aanvaardbare uitingsvorm. Bij noodweer heeft vrijwel iedereen begrip voor de dader; bij bloedwraak is de mate van acceptatie erg afhankelijk van waar je wieg heeft gestaan. Dan hebben we het wel over de meest extreme vormen van reactieve agressie, over het algemeen is het allemaal vrij onschuldig. Je staat in een overvolle bus en de passagier voor je stapt heel onhandig op je schoen, net op die teen die je vanochtend ook al zo pijnlijk had gestoten. De tranen van pijn springen in je ogen. Wie kent dan niet die impuls om luid vloekend de ander een duw te geven? We zullen het niet snel doen, omdat we in staat zijn deze impuls te onderdrukken, maar het toont dat agressie een normaal onderdeel van ons leven is, waarbij de gemiddelde mens een goed evenwicht heeft gevonden tussen aanleiding, impuls en zelfbeheersing. De problemen beginnen pas als de reactie in geen verhouding staat tot de aanleiding, doordat schijnbare kleinigheden een ongewoon sterke emotie oproepen en degene die de emotie ondergaat niet in staat is zijn (in een enkel geval haar) reactie daarop te matigen, de korte lontjes onder ons.

Agressie kun je natuurlijk op vele manieren bestuderen: er zitten politieke, socio-economische en culturele aspecten aan. Maar recent is ook veel duidelijk geworden over de neurobiologie achter het korte lontje. Daarmee kunnen we het nog niet altijd beteugelen, maar wel veel beter begrijpen.

Al heel lang weten we dat het voorste (frontale) deel van de hersenschors belangrijk is voor het onder de duim houden van impulsen en agressie. Dat is onder meer duidelijk geworden door te kijken naar het gedrag van mensen bij wie een deel van die schors niet meer functioneert, door een ongeluk, hersenbloeding of degeneratie als gevolg van een ziekte. Het bekendste voorbeeld is de levensgeschiedenis van Phineas Gage, die ruim honderdzestig jaar geleden in de Verenigde Staten werkte aan de aanleg van de spoorwegen. Regelmatig was het noodzakelijk om stukken rots op te blazen zodat de rails geplaatst konden worden. Hiervoor gebruikte men dynamiet, dat met een metalen staaf aangestampt diende te worden alvorens het via een lont tot ontploffing werd gebracht. Phineas Gage, een beschaafde hardwerkende voorman, was hier op een dag mee bezig toen onverwachts het dynamiet al tot ontploffing kwam terwijl hij met de staaf aan het werk was. De metalen staaf van ongeveer een meter werd door de kracht van de explosie dwars door het hoofd van Phineas Gage geschoten. Hij ging er bij zijn jukbeen in, schoot schuin omhoog door de hersenen en kwam er aan de bovenkant door zijn schedel weer uit. Wonder boven wonder overleefde Phineas Gage dit vreselijke ongeluk en herstelde zelfs zodanig dat hij na enige tijd weer op de been was. Geleidelijk werd echter duidelijk dat er iets vreemds met hem aan de hand was. Waar hij voorheen voorkomend, verantwoordelijk en georganiseerd was, bleek hij na het ongeluk sociaal geheel onaangepast. Hij schold iedereen de huid vol met de meest obscene taal, was agressief, en ging geheel ongeorganiseerd door het leven; zijn oorspronkelijke werk kon hij dan ook niet meer uitvoeren. Een tijd lang reisde hij als een soort kermisattractie door het land, vergezeld van de staaf die alles veroorzaakt had. Na allerlei omzwervingen en baantjes overleed hij twaalf jaar na het ongeluk aan de gevolgen van ernstige epileptische aanvallen. Zijn schedel is na enige tijd opgegraven en al die jaren, tot op heden, bewaard gebleven.

Met moderne computertechnieken zijn verschillende reconstructies gemaakt om na te gaan welke hersengebieden precies beschadigd moeten zijn geweest in het hoofd van Phineas Gage. Daarbij bleek dat twee stukken van de frontale schors ernstig waren aangetast. Schade of verminderde functie van deze gebieden heeft men ook vastgesteld bij mensen die veel agressief gedrag vertonen, zoals soms voorkomt bij borderlinepatiënten. Zelfs bij gezonde proefpersonen die slechts dénken aan een situatie waarin agressief gedrag is toegestaan, is een afname in de activiteit van de frontale schors aangetoond. Door een goed functionerende frontale schors kunnen we een rem zetten op onze emoties. Als deze rem door een verminderde functie van het gebied verdwijnt, kan iedere provocatie tot agressieve daden leiden.

Naast deze afwijkende functie van de frontale schors, kan ook een toegenomen activiteit optreden in de amandelkern, een klein gebied onder in de hersenen dat belangrijk is bij emoties zoals angst. Of een dergelijke verhoogde activiteit wordt aangetroffen is een beetje afhankelijk van de groep die bestudeerd wordt. Bij mensen met het borderlinesyndroom reageert de amandelkern over het algemeen zeer sterk op negatieve prikkels, waardoor een schijnbaar onschuldige provocatie al genoeg is om de vlam in de pan te laten vliegen. Dit proces wordt versterkt naarmate de persoon vaker aan de negatieve prikkels is blootgesteld, zodat op een gegeven moment zelfs het tonen van een bozig gezicht al genoeg is om een sterke respons op te roepen. Disproportionele agressie kan dus veroorzaakt worden door een overmatige reactie op een kleine negatieve aanleiding, waarna de agressieve impuls die hierop volgt onvoldoende onderdrukt wordt.

Men heeft ook gekeken welke chemische boodschappers (neurotransmitters) een rol kunnen spelen bij agressie. Vooral de neurotransmitter serotonine en de moleculen waardoor serotonine haar werking kan uitoefenen (receptoren) lijken van belang. Dit is bijvoorbeeld duidelijk geworden uit genetische studies. In de begindagen van de genetische modificatie bij proefdieren bracht men vaak een extra stukje DNA in een embryonale stamcel. Waar dit stukje DNA werd ingebouwd was tref. Soms gebeurde het op een plaats waar al een ander gen zat, zodat ook dit onbedoeld in zijn werking werd gestoord. Zo bleek bij een dergelijk experiment met muizen dat onverwacht de mannetjes extreem agressief waren.[1] Als de onderzoekers hun hand in de kooi staken om er een muis uit te lichten die getest moest worden, hingen binnen de kortste keren drie muizen met hun tanden aan de hand van de onderzoeker. Mannelijke muizen zijn niet al te vriendelijk tegenover een indringer in hun kolonie, maar deze genetisch gemodificeerde jongens maakten met iedere indringer korte metten. Nadere studie leerde dat per ongeluk het gen was uitgeschakeld dat codeert voor het enzym monoamine-oxidase A, een stof die normaal serotonine omzet tot een verbinding die geen activiteit meer heeft; door de verminderde werking van monoamine-oxidase A bleef bij deze dieren te veel serotonine in omloop. Ook bij mensen is een afwijking in het monoamine-oxidase A-gen slecht nieuws voor de bezitter van dat gen. Dit kwam naar voren nadat men de genetische achtergrond had onderzocht van een familie waarin een groot deel van de mannen impulsief agressief gedrag vertoonde, al dan niet vergezeld van poging tot verkrachting of exhibitionisme.[2] In deze familie bleek een mutatie voor te komen in het gen voor monoamine-oxidase A, gelegen op het x-chromosoom.

Het bezit van een dergelijke genetische aanleg wil niet zeggen dat je gedrag daarmee voorgoed vastligt, want omgevingsfactoren zijn ook van belang. Bij dragers van een genetische variant die leidt tot relatief lage monoamine-oxidase A-activiteit zal verwaarlozing en mishandeling in de jeugd veel eerder leiden tot antisociaal en agressief gedrag in volwassenheid dan bij diegenen die veel van het enzym produceren. Degenen met relatief veel monoamine-oxidase A-activiteit lijken juist beschermd te worden tegen de kwalijke gevolgen van zo'n slechte jeugd, juist door hun hoge niveaus van het enzym. Ook voor andere genen, zoals het gen dat betrokken is bij het transport van serotonine over de celwand, zijn kleine variaties aangetroffen die samenhangen met een hoger of lager risico op agressief gedrag. De optelsom van genetische aanleg en omgeving bepaalt dus uiteindelijk de kans dat mensen agressief gedrag vertonen.

Naast de werking van serotonine is ook het effect van testosteron veelvuldig onderzocht in verband met agressie, vooral omdat in proefdiermodellen de hoeveelheid testosteron een goede voorspeller is voor de mate van agressiviteit. Bij mensen bestaat echter geen consensus over het belang van testosteron. Op zichzelf verhoogt dit hormoon bij individuen wel de kans op agressie, maar het is niet zo dat bij personen met agressief gedrag ook automatisch iets mis is met het testosteronniveau.

De derde stof waarnaar veel onderzoek is verricht, is het hormoon vasopressine. Dit is een hormoon met een janusgezicht. Enerzijds leidt het (bij vrouwelijke organismen) tot moederschapsgedrag en bescherming van de nakomelingen; bij mannetjes bestendigt het de band met de partner. Anderzijds lijkt het, vooral bij mannetjes, ook betrokken bij het afbakenen van het territorium, bedoeld om vrouw en kinderen te beschermen. Bij de verdediging van dat territorium kan het mannetje echter behoorlijk agressief worden. Die jongen op het schoolplein indertijd, die het territorium bewaakte waarop hij en zijn wijfje verkeerden, maakte waarschijnlijk aanspraak op zijn vasopressinereceptoren, niets bijzonders in het dierenrijk.

Het grootste deel van de bevolking gebruikt gelukkig zelden fysiek agressief geweld. Er wordt nogal eens gezegd dat jongeren tegenwoordig zo agressief zijn, iets wat (zo zegt men) onbegrijpelijk is als je toch ziet wat voor engeltjes het waren toen ze op de peuterschool zaten. Dat is echter een opinie die op twee misvattingen is gebaseerd. Ten eerste is, als je door de eeuwen heen kijkt, het gebruik van agressie stelselmatig afgenomen. Onze tijd kent, alle oorlogen ten spijt, minder agressief gedrag dan pakweg de late Middeleeuwen. Ten tweede vertonen jongeren in vergelijking met peuters heel wat minder fysieke agressie, waarmee bedoeld wordt dat je er ongeremd op los mept. In een uitgebreide studie waarin fysieke agressie is bestudeerd in kinderen van de babytijd tot de lagereschoolleeftijd is geconstateerd dat de meeste kinderen hun agressiepiek beleven tussen hun derde en vierde jaar.[3] Daarna wordt hun dit afgeleerd op school. Ongeveer een derde van de kinderen vertoont altijd – van jong tot oud – erg weinig agressief gedrag. Er is echter een kleine groep, ongeveer een zesde deel van alle kinderen, die vanaf het begin veel meer fysiek geweld gebruikt dan de andere kinderen en dit ook tot in volwassenheid blijft doen. Het gaat over het algemeen over jongens (toch een rol voor testosteron?) die onder beroerde socio-economische omstandigheden opgroeien, de omgevingsfactoren die samen met de genetische aanleg tot deze uitkomst kunnen leiden.

Van probleemagressie was natuurlijk geen sprake bij de jongens op het schoolplein, lang geleden. Nog steeds lijkt deze school grotendeels gevrijwaard van agressie, want ik zie nergens poortjes of metaaldetectoren bij de ingang, noch heb ik ooit iets vernomen over uitbarstingen van geweld. Maar we weten uit de kranten dat iedere school het slachtoffer kan worden van de agressie van een individu. Tegen pathologische vormen van agressie, zoals bij psychopaten of mensen die al dan niet door het gebruik van stimulantia in een psychose raken, kan een samenleving zich nooit volledig beschermen. Gelukkig lopen maar weinig van dergelijke mensen rond. Bij de meesten van ons werkt de frontale schors geheel naar behoren, zodat we die gek die in de bus op je pijnlijke teen gaat staan, zij het met uiterste zelfbeheersing, toch maar geen duw geven.

De *leraar*

MIGRAINE

Dwalend door de gang op de tweede verdieping van de school loop ik langs al die vertrouwde lokalen. Bij de derde deur sta ik lang stil. Dit was het lokaal van een leraar die een diepe indruk op me heeft gemaakt, een leermeester zoals je er maar een enkele in je leven tegenkomt.

Leraren komen en kwamen in allerlei soorten en maten. Zo hadden we de vieze mannetjes, zo'n leraar die altijd net iets te lang en te ver over je schouder boog om te kijken of de som wel goed ging. Daar durfde je niets over te zeggen en eigenlijk gebeurde er ook niet veel, maar het was net genoeg om je met tegenzin het klaslokaal in te laten lopen als je na de les iets moest ophalen. Je griezelde van zo'n oude man in donkergrijs kostuum, de schouders besneeuwd met een laagje roos. Ik ben nu even oud als die leraren toen, maar het blijven oude mannen in mijn herinnering.

Dan had je de categorie van de driftkoppen. Bij de geringste aanleiding liepen ze rood aan en schreeuwden dan tegen de leerling die de driftbui had opgewekt. Schriften, boeken, tekendozen, van alles werd door de klas gegooid of in de prullenbak gesmeten. Als het een beetje tegenzat werd de leerling zelf ook vastgepakt en in de richting van de deur geslingerd, de gang op. We waren altijd een beetje bang voor die driftkoppen, want ergens onder het beheerste uiterlijk smeulde een enge vulkaan.

Er was ook nog een legertje van mindervaliden: de kreupelen, slechtzienden of hardhorenden. Een lerares die vroeger kinderverlamming had gehad stond gedurende de hele les naast de tafel. Ze kon zelfs niet naar het raam lopen om dat open te doen, want iedere meter die ze wilde afleggen kon alleen per rolstoel of als een pluisje in iemands armen gedragen overbrugd worden. Van zo veel wilskracht en overlevingszucht werden we stil, met haar breekbare gestalte dwong ze respect af. De hardhorenden hadden het moeilijker. Het wekte een onbedwingbare lust op om met elkaar te praten zonder dat de betreffende leraar het doorhad. Zolang aan de bewegingen van je mond niet te zien was dat je iets zei, was je veilig. Tijdens proefwerken werd op fluistertoon het juiste antwoord doorgegeven. Lastig was wel dat de hardhorenden ook vaak achterdochtig waren, met recht natuurlijk. Daardoor belandden ze geleidelijk in het kamp van de driftkoppen.

En dan was er nog de categorie van de verhalenvertellers. Soms pakte dat goed uit, vooral als het een geschiedenisleraar was. Beeldend werd Napoleons tocht over de Berezina behandeld, de leraar waadde zieltogend door het water, één hand voor de borst in zijn overhemd gestoken. Maar soms waren het louter sterke verhalen uit de studietijd van de docent, met iedere les ook nog een flintertje leerstof. Dat soort lessen waren een moment van ontspanning in ons lesprogramma; je hoefde er niet naar te luisteren – dan las je gewoon een roman – maar je kon er ook gezellig bij komen zitten, alsof je in een kroeg aan de stamtafel plaatsnam, maar dan zonder alcoholische versnapering. Ook voor de leraren was het een uitkomst. Waarschijnlijk leven ze allemaal nog, want met een dergelijke daginvulling word je vast heel oud.

Te midden van dat bonte circus werkten enkele pareltjes: leraren die glashelder alles uitlegden, die veeleisend waren maar ook stimulerend en waarderend; leraren die alles uit hun leerlingen haalden en aan het eind van het schooljaar een niveau bij hen hadden bereikt waar je jaren op verder kon bouwen. De échte leraren. Dit waren de mannen en vrouwen door wie je ging nadenken of je dat vak later misschien maar moest gaan studeren omdat het onderwerp helemaal glansde, zo boeiend was het. Ze gaven je een extra boek mee om te lezen, vroegen je bij hen thuis om met een groepje leerlingen te praten over een onderwerp dat wegens tijdgebrek tijdens de les niet behandeld kon worden. Ze lazen de korte verhalen die je zonder dat iemand het wist 's avonds schreef, gaven aanwijzingen en moedigden je aan om verder te gaan. Ze wilden weten wat jou bewoog in het leven, spraken met je over levensbeschouwelijke zaken. Ze hielpen je om je meer, dieper, breder te ontwikkelen.

Zo'n man was de leraar Latijn die achter deze deur op de tweede verdieping huisde. De schoolboeken die op zijn vakgebied waren geschreven vond hij niet helder genoeg. Jarenlang had hij geslepen aan zijn lesmethode, om die vreemde dode taal ordelijk over te brengen, de logica ervan naar voren te halen. Wat begonnen was met stapels losse papieren, was geculmineerd in een lesboek, zijn eigen leergang, een boek waarin het allemaal precies zo beschreven stond als hij vond dat het moest. Vanaf de eerste klas nam hij ons aan de hand mee, legde het grammaticale fundament en de basis voor de woordenschat die we moesten leren voordat we aan de teksten van beroemde schrijvers konden beginnen. Van iedereen eiste hij inzet, het beste wat je kon geven, maar daardoor reikten we eindelijk zover als waartoe we in staat waren. Ik kan hem nog zo uittekenen: lang, slungelig, op stevige wandelschoenen, een grijze slobberbroek, beige corduroy jasje, flanellen overhemd. Zijn hoofd diepgegroefd, droevige blauwe ogen, een baard en snor, blond lichtgolvend haar.

In de loop van het eerste jaar werd ons duidelijk dat hij niet echt gezond was. Regelmatig, als we hem tijdens het eerste lesuur hadden, legde hij zeven pilletjes naast elkaar op zijn tafel. 'Kijk,' zei hij dan en wees op het rijtje, 'ik heb vandaag gruwelijke hoofdpijn. Ik neem ieder uur een pilletje tegen de pijn, dan kom ik net de dag door.' Daarna slikte hij het eerste pilletje met een slok water door. Aanvankelijk gebeurde het niet zo vaak, maar aan het begin van het tweede schooljaar werd het steeds frequenter. Hij leefde op die pillen. Tot de dag in het najaar dat het lesuur wegens ziekte van de docent verviel. En niet alleen dat uur, de rest van de week ook; en de weken erna. We kregen tijdelijk een andere docent voor Latijn, we raakten gewend aan de afwezigheid van onze 'eigen' leraar. Na een aantal maanden dacht eigenlijk niemand meer aan de leraar die nu thuis was.

Op een ochtend in het voorjaar werd de hele school – leraren en leerlingen – naar de aula geleid. Dat was vreemd en onverwachts, zoiets gebeurde alleen bij hoogtijdagen zoals de opening van het jaar of op feestavonden. Toen iedereen zat kwam de rector naar voren en vertelde ons, heel voorzichtig en stapsgewijs, dat 'onze' leraar Latijn de vorige dag was overleden. Hij memoreerde hoe geliefd de docent was geweest, dat iedereen die les van hem had gehad hem niet snel zou vergeten.

Bedrukt liepen we de aula uit, vrij voor de rest van de dag, maar het was geen feestelijke vorm van vrij. Eigenlijk voelde ik me schuldig, ik had het gevoel dat we deze fantastische man die ons ondanks zijn pijn les kwam geven, hadden laten stikken. We waren hem vergeten in plaats van hem op te zoeken, thuis. Misschien hadden we hem van zijn pijn kunnen afleiden?

Mogelijk hebben andere leerlingen dat ook gedacht; erover gesproken hebben we nooit. We waren te zeer geschrokken van de dood, die gelukkig op een middelbare school niet zo vaak aan de orde komt.

Chronische hoofdpijn, is dat dan iets waar je dood van gaat? Achteraf is het natuurlijk lastig om vast te stellen waar hij precies aan leed. Er zijn vele vormen van hoofdpijn, waarvan vooral migraine goed omschreven is. Bij migraine is er sprake van een kloppende hoofdpijn, vaak aan één kant van het hoofd, soms aan beide zijden. Kenmerkend is dat het gepaard gaat met overgevoeligheid voor licht en geluid. Deze vorm van hoofdpijn wordt erger bij lichamelijke inspanning. Veel mensen zijn misselijk tijdens een migraineaanval. De hoofdpijn kan enkele dagen duren maar bestrijkt misschien een nog langere periode dan we denken want voorafgaand aan de pijn kunnen zich de eerste verschijnselen van een aanval al aandienen, meestal in de vorm van een aura, een visuele ervaring waarbij men niet-bestaande lichtflitsen of draaiende figuren kan zien, een vertroebeld beeld heeft of zelfs tijdelijke vermindering van het gezichtsvermogen. Naast migraine bestaat nog een tweede grote categorie, de spannings(achtige)-hoofdpijn. Deze is veel moeilijker te duiden, omdat alleen de hoofdpijn een vast kenmerk is, zonder andere duidelijke biologische uitleespunten. Er wordt ook nogal eens een verkeerde diagnose gesteld; dan blijkt de spanningshoofdpijn eigenlijk een aanval van migraine te zijn.

Beide vormen van hoofdpijn komen enorm veel voor. Schattingen geven aan dat per jaar bijna de helft van de bevolking wel eens last heeft van spanningshoofdpijn, waarbij zelfs een derde van de bevolking aangeeft regelmatig last te hebben, dat wil zeggen tussen de 1 en 15 dagen per maand. Ook migraine komt zeer veel voor. Meer dan 40 procent van de vrouwen en bijna 20 procent van de mannen maakt wel eens in hun leven een migraineaanval door. Aanvankelijk treedt hoofdpijn meestal op in episodes, korte periodes waarna alles weer tot rust komt. Maar het kan zich geleidelijk ontwikkelen tot een chronische vorm. Je spreekt van chronische hoofdpijn als mensen vaker wél dan niet last hebben van hoofdpijn.

Vooral over migraine is de afgelopen tijd veel bekend geworden. Aanvankelijk dacht men dat de pijn het gevolg was van een verwijding van de bloedvaten in de hersenen. Maar het verband tussen verwijde bloedvaten en pijn is niet eenduidig. Met beeldverwerkende technieken is zelfs vast komen te staan dat lang niet in alle gevallen tijdens een migraineaanval sprake is van verwijde bloedvaten. Men had als argument aangevoerd dat geneesmiddelen die een bloedvatverwijdende werking hebben migraineaanvallen kunnen oproepen. Maar ook hiervan is met beeldverwerkende technieken aangetoond dat de hoofdpijn vaak pas in volle hevigheid begint als de bloedvaten weer tot hun normale vorm zijn teruggekeerd. Ook de therapeutische werking van stoffen die helpen bij een migraineaanval berust waarschijnlijk niet in de eerste plaats op hun bloedvatvernauwende potentie; sommige effectieve middelen hebben geen enkel aanwijsbaar effect op de bloedvaten. Een bloedvatvernauwende werking is dan ook geen voorwaarde voor een geneesmiddel om een therapeutische werking te vertonen. Het idee dat bloedvatverwijding een voorwaarde is voor het opwekken van migraine is daarom enigszins verlaten. Integendeel, de studies geven zelfs aan dat er sprake is van een *verminderde* bloedsomloop in de hersenschors bij het ontwikkelen van een aanval, waarna pas later (en niet in alle gevallen) een versterkte bloeddoorstroming volgt.

Is het louter een kwestie van bloeddoorstroming? Enig inzicht hierin is gekomen door recent werk bij families waar migraine als erfelijke ziekte voorkomt. Ze lijden aan een vorm van migraine die gepaard gaat met eenzijdige verlamming van het lichaam, soms in combinatie met epileptische aanvallen. In deze families heeft men vastgesteld welke genen voor de aandoening verantwoordelijk zijn. Tot nu toe zijn mutaties beschreven in drie genen die aanleiding kunnen geven tot dit beeld; waarschijnlijk zullen de komende jaren ook nog wel mutaties in andere genen worden aangetroffen. De nu bekende mutaties zijn gevonden in heel verschillende genen, maar ze hebben met elkaar gemeen dat ze voor eiwitten coderen die belangrijk zijn voor de balans tussen excitatie (activatie) en inhibitie (onderdrukking van activiteit) in de hersenen. Dat doet sterk denken aan wat men bij epilepsie heeft aangetroffen. Daarom wordt ook wel aangenomen dat deze vorm van migraine een spectrum van aandoeningen vormt samen met vergelijkbare tijdelijk optredende (episodische) neurologische aandoeningen zoals epilepsie en ataxie, een stoornis in de coördinatie van bewegingen. Of deze genen ook een risico vormen bij de meer algemene vorm van migraine die niet zo sterk familiair overerft, is nog maar zeer de vraag. Waarschijnlijk is bij deze laatste vorm sprake van een groep risicogenen, waarvan een ongunstige combinatie in interactie met omgevingsfactoren bepaalt of je migraine ontwikkelt. Wel denkt men dat deze – op dit moment nog onbekende – groep risicogenen uiteindelijk de werking van de hersenen op vergelijkbare wijze beïnvloedt als de genen die betrokken zijn bij de familiaire vorm van migraine.

Een goede balans tussen excitatie en inhibitie in de hersenen is heel belangrijk voor een normale functie. Men neemt aan dat er golven van activiteit in de hersenschors optreden tijdens migraine, die samenhangen met een afwijkende functie van de bloedvaten en steuncellen, zonder dat er grote fouten optreden in de werking van de zenuwcellen zelf, al is dit nog speculatief zolang we niet goed in staat zijn in de menselijke hersenen de werking van zenuwcellen van die van andere cellen te onderscheiden. Overigens is er tijdens migraine zeker niet alleen een probleem in de hersenschors, maar ook in de oudere delen van de hersenen die onder de schors liggen. In gebieden die te maken hebben met het verwerken van sensorische informatie (bijvoorbeeld beelden van de omgeving, maar ook hoe aanraking van de huid wordt ervaren), maar ook in gebieden die belangrijk zijn voor evenwicht, misselijkheid of voedselinname zijn afwijkingen aangetroffen.

Dat laatste is vooral gevonden bij mensen bij wie de hoofdpijn geleidelijk aan chronische vormen heeft aangenomen. Zo'n 5 procent van de bevolking wereldwijd heeft last van zo'n chronische vorm van hoofdpijn. De overgang van een episodische naar een chronische vorm kan versterkt worden door het overmatig gebruik van medicijnen, vooral van pijnstillers. Gebruik van pijnstillers is niet noodzakelijk noch voldoende om chronische hoofdpijn tot gevolg te hebben, maar het verhoogt wel duidelijk het risico, vooral in mensen die een genetische aanleg hebben om chronische hoofdpijn te ontwikkelen. Paradoxaal genoeg lijkt het veelvuldig gebruik van pijnstillers te leiden tot een versterkte werking (en afgenomen onderdrukking) van hersengebieden die betrokken zijn bij de sensatie van pijn. De leraar die vrijwel dagelijks zeven pilletjes op een rij legde en er ieder uur één doorslikte versterkte, zonder dat hij het wist, waarschijnlijk zijn kwaal.

Dit alles is vervelend, en mensen die lijden aan chronische hoofdpijn zijn absoluut niet te benijden, maar je gaat er toch niet dood van?

Jaren later hoorde ik pas het volledige verhaal over de leraar. Het bleek dat ons een deel was verzwegen die dag in de aula, lang geleden. Volstrekt toevallig ving ik in een café een gesprek op tussen twee vrouwen van rond de zestig.

'Het gaat nu weer beter met mijn depressie,' zei de ene vrouw tegen de andere. 'Ik wíl ook dat het goed komt, ik ben bereid er alles voor te doen om ervan af te komen.' Ze nam een slok koffie en vervolgde: 'Mijn zoon zei laatst tegen me: mam, je móet het aanpakken. Je mag niet zo eindigen als Herbert.' Ze legde uit aan haar buurvrouw: 'Dat was zijn leraar Latijn vroeger. Mijn zoon had een geweldig goede band met hem. Jarenlang leed die arme man aan hoofdpijn, op het laatst kwam hij helemaal niet meer op school. Hij was zwaar depressief geworden, hij zat maar thuis, tot hij er een eind aan gemaakt heeft.'

Ik stond op en liep het café uit, onthutst. Die vrouw had het over míjn leraar, dezelfde leraar Latijn waar ik al tien jaar niet meer aan gedacht had. Zelfmoord? Dat hadden ze ons niet verteld! Het oude schuldgevoel kwam weer boven. We hadden hem nooit alleen thuis moeten laten zitten, we hadden hem moeten opzoeken om te vertellen hoe geweldig we hem vonden, we hadden... Maar het had waarschijnlijk toch niet geholpen. Je houdt een zwaar depressief persoon met zelfmoordgedachten niet zo eenvoudig van zijn daad af.

Comorbiditeit – dat is het vaker voorkomen van twee aandoeningen in een persoon dan je op grond van de kansberekening voor iedere aandoening afzonderlijk kunt verwachten – van migraine en depressie is niet ongewoon. Mensen die migraine hebben (vooral als ze ook last van aura's hebben) hebben een twee tot viermaal hogere kans om depressie te ontwikkelen dan de rest van de bevolking; andersom geldt ook dat mensen met depressie een verhoogde kans op migraine hebben. Dit is een aanwijzing dat de biologische achtergrond van de twee aandoeningen overeenkomsten vertoont. Migraine is ook gekoppeld aan een verhoogd (maar nog steeds klein) risico op zelfmoord, zelfs als je de invloed van depressie buiten beschouwing laat. De afloop van het verhaal van de leraar is dus niet helemaal onverwacht, al blijft het nog steeds – gelukkig – een heel grote uitzondering.

Achteraf bezien ben ik blij dat ik de toedracht pas later heb gehoord. Als dertienjarige is het al erg genoeg om met de dood van een leraar geconfronteerd te worden, laat staan met dit trieste verhaal. We hebben daardoor nog jaren zonder enige bijgedachte met een soort hunkering aan hem kunnen denken. Aan die leraar die ons meesleepte in zijn vak, waardoor je het beste in jezelf naar boven haalde. Zo'n zeldzaam goede leraar.

Niemand ontsnapt

VEROUDERING

Van het lokaal waarin Latijn werd onderwezen loop ik terug naar de hal en terwijl ik langs al die gesloten deuren loop, repeteer ik bij mezelf de vakken die zich achter die deuren voor ons ontvouwden; wiskunde, Frans, Engels, geschiedenis... een schier eindeloze rij van onderwerpen. Hoe is het toch mogelijk dat we die enorme hoeveelheid aan kennis schijnbaar moeiteloos konden opnemen? Niet alleen wij, ruim dertig jaar geleden, maar ook de generatie voor ons, die nog veel meer vakken had, omdat veel disciplines weer waren opgeknipt in allerlei specifieke richtingen, zoals goniometrie, algebra, meetkunde en stereometrie in plaats van simpel 'wiskunde'. En ook de huidige scholieren, die allerlei onderwerpen op hun rooster hebben staan waar wíj ons niet mee bezig hoefden te houden, zoals verzorging en techniek.

Wat al die kinderen door de eeuwen heen met elkaar delen is het speelse gemak waarmee ze nieuwe kennis opnemen. Iedereen die ouder wordt, weet dat het steeds lastiger wordt om je iets nieuws eigen te maken. Daarbij denk ik niet alleen aan veertigers die zich inschrijven voor een cursus Spaans omdat ze die wereldtaal toch eindelijk eens willen leren spreken. Ondanks het feit dat ze veel gemotiveerder zijn dan hun kinderen om nieuwe kennis op te doen en zich iedere week vlijtig over de opdrachten buigen, merken ze tot hun ontgoocheling dat ze na een jaar lessen minder ver zijn dan hun dochter die na twee weken vakantie op Ibiza al aardig wegbabbelt in die taal.

Nee, die stramme hersenen kom je in alle aspecten van het leven tegen. Ooit geprobeerd een zeventigplusser uit te leggen hoe een computer werkt? Dan weet u wat ik bedoel. Dat is een generatie die – uitzonderingen daargelaten – eigenlijk een beetje bang is voor de computer omdat ze vrezen dat bij een verkeerde handeling het apparaat kan ontploffen. Ze aarzelen dan ook lang om een toets aan te raken, want beter geen fouten gemaakt dan iets catastrofaals aangericht. Hun achterkleinzoon van vijf heeft daar geen enkele last van. Deze ondernemende jongeman klimt op een stoel, zet de computer aan en komt er door *trial and error* achter hoe hij de spelletjes moet bedienen waarin hij geïnteresseerd is. Hij doet aan zijn overgrootvader voor hoe je over internet surft en wordt wat ongeduldig als de volgende keer blijkt dat hij nog steeds niet weet welke stappen moeten worden gedaan om cyberspace te ontsluiten. Zijn moeder, die wat meer geduld heeft, neemt het over maar ook die raakt vertwijfeld als ze merkt dat de 'leerling' al weken geen gebruik heeft gemaakt van de computer omdat er zo'n enge opmerking over een virus op het scherm was verschenen en hij bang was om verder te gaan want dat zou wel eens onherstelbare schade kunnen aanbrengen.

Maar voordat de zeventigplussers nu worden weggezet als onbruikbare museumstukken, moeten we misschien even kijken naar de rond-de-vijftigers, mijn generatie. Ook die worstelt met een eigen arsenaal aan uitdagingen van de tijd. Het heeft me jaren gekost om enigszins soepel gebruik te kunnen maken van de sms-functie van mijn mobiele telefoon. Nog steeds zit ik onhandig op die onmogelijk kleine toetsjes te prutsen (eerst de leesbril vinden), uiterst traag de tekst intoetsend met één vinger, zodat we geruime tijd verder zijn voordat ik het bericht kan verzenden naar mijn zoon. Groot is altijd mijn verbazing als ik binnen enkele seconden alweer een lap tekst van hem terug heb. Niet alleen is het verbijsterend dat hij in zo'n korte periode zo veel letters op het scherm weet te krijgen, maar ook het fenomeen dat hij continu de binnenkomende berichten leest en beantwoordt is een geheel nieuw concept. Ik heb mijn mobiele telefoon namelijk alleen aan als ik zelf iemand wil bellen of een bericht wil verzenden, het idee dat een ander niet zou kunnen wachten tot hij me via een vaste lijn kan bereiken komt niet eens in me op. Toch moet ik hier iets aan gaan doen, want ik merk dat ik steeds verder achteropraak in dit leerproces. In toenemende mate gebruiken mensen hun telefoon om de weg te vinden in een onbekende stad, om hun agenda bij te houden of hun e-mail te lezen. Als je dat met respectievelijk een reisgids, zakagenda of laptop doet, loop je hopeloos achter. Vooralsnog blijf ik nog net op de been en beleef zelfs een onverholen genoegen als drie jongeren met behulp van hun telefoon en de satellietverbinding willen vaststellen hoe we naar het restaurant van onze keuze moeten lopen – volgens de een bestaat het niet en een ander krijgt een restaurant met dezelfde naam in een stad tweehonderd kilometer naar het noorden op het scherm – terwijl een voorbijganger mij desgevraagd meteen de weg wijst.

Welke teloorgang speelt zich toch af in ons hoofd, zodat we steeds meer moeite krijgen om nieuwe kennis en vaardigheden in te passen naarmate we ouder worden?

Dit wordt een droevige passage in het boek, maar om de stemming positief te houden kan ik meteen al onthullen dat er gelukkig een verrassende mate van aanpassing en compensatie aanwezig is om met de leeftijdsafhankelijke achteruitgang in hersencapaciteit om te gaan. Niettemin vindt er een veldslag in ons hoofd plaats, waarbij vanaf ongeveer het twintigste levensjaar dagelijks gemiddeld zo'n tienduizend hersencellen het loodje leggen. Natuurlijk, we hebben zo ongelooflijk veel zenuwcellen – naar schatting honderd miljard – dat we er wel een paar kunnen missen, maar bij het idee dat iedere minuut weer tien zenuwcellen reddeloos verloren gaan kun je maar beter niet te lang stilstaan. Ook de steuncellen (die zenuwcellen terzijde staan in hun werk), de contacten tussen hersencellen en de energievoorziening van de cellen nemen geleidelijk af. In toenemende mate ontstaan verknoopte draadjes (*tangles*) in de hersencellen die een normale functie in de weg staan en tref je ophopingen van een vetachtige substantie aan (*plaques*). Deze plaques en tangles zijn heel kenmerkend voor de hersenen van iemand met de ziekte van Alzheimer, maar ook bij 'gewone' ouderen, die nog uitstekend functioneren, kun je ze al aantreffen. Overigens worden niet alle gebieden even zwaar getroffen: gebieden als de hippocampus, de kleine hersenen en de frontale schors nemen met de leeftijd in omvang af, maar andere gebieden blijven vrijwel onaangetast zoals het deel van de schors waar visuele gegevens (datgene wat we zien) worden verwerkt. Uit experimenten met ratten weten we dat binnen de hippocampus de mogelijkheid om contacten tussen cellen langdurig te versterken – de manier waarop, zoals men nu denkt, informatie wordt vastgelegd – met de leeftijd achteruitgaat. De geringere mogelijkheden om informatieoverdracht tussen cellen te versterken is geassocieerd met afnemende leerprestaties in taken die sterk afhangen van een goede functie van de hippocampus, zoals het onthouden van de plaats van voorwerpen in de ruimte.

Ook de vezelverbindingen tússen verschillende hersengebieden worden minder efficiënt, met name in het voorste deel van de hersenen. Voor u nu denkt: bij mij loopt dat zo'n vaart niet, even wat ontnuchterende feiten. In een grote studie onder gezonde ouderen (tussen zestig en vierenzestig jaar) bleek iedereen, zonder uitzondering, afwijkingen te vertonen in de vezelstructuur van de hersenen;[1] bij de helft van de groep was zelfs sprake van ernstige afwijkingen. Uiteraard is de schade nog veel groter in het geval van een hersenziekte, zoals bij een beroerte of de ziekte van Parkinson, maar ook bij gezonde ouderen is er geen reden tot een feestje, temeer daar er vrijwel geen nieuwe cellen meer gevormd kunnen worden als de hersenen vroeg in de ontwikkeling eenmaal zijn aangelegd.

Als je de feiten over deze onstuitbare aftakeling van de hersenen leest, is het eigenlijk een wonder dat we omringd worden door zo veel frisse ouderen die nog uitstekend functioneren. Ik zie hen tenminste altijd vrolijk keuvelend door ons dorp fietsen; ze komen gezonder over dan de werkezels die iedere ochtend om zeven uur in hun auto stappen om na veel fileleed anderhalf uur later het kantoor te bereiken. Toch eist de verwoesting van onze zenuwcellen en met name het afnemend vermogen om goede verbindingen binnen en tussen hersengebieden te onderhouden zijn tol. Zo nemen de reactiesnelheid en de snelheid waarmee we informatie kunnen verwerken met de leeftijd af. De problemen met de hippocampus verraden zich door een toenemend probleem om nieuwe feiten in ruimte en plaats te koppelen en deze informatie gedurende langer dan tien minuten op te slaan. Het nieuws van vanochtend, gisteren, vorige week: het wordt allemaal een grote brij, waar alleen saillante details nog van worden opgeslagen, terwijl het overgrote deel van de informatie niet paraat is, en soms zelfs geheel verdwenen. 'Maar ik had je toch vorige week al gezegd dat ik komende donderdag niet thuis ben met het avondeten?' is een verwijtende uitroep die steeds vaker klinkt in gesprekken tussen mijn echtgenoot en mij (de richting is irrelevant, het overkomt ons allebei gelukkig even vaak). Ik strijd er maar niet meer om, want het is heel goed mogelijk dat het vorige week is gemeld, ik ben het gewoon vergeten. Een goede hippocampus helpt ons om informatie die van belang is na verloop van tijd stabiel op te slaan in de hersenschors. Als deze functie langzamerhand minder wordt zal er daarom relatief weinig nieuwe informatie langdurig in de hersenen worden opgeslagen, maar datgene wat al verankerd was, in de hersenschors, staat nog als een huis. Steeds vaker beseffen we dat we nog vrij accurate herinneringen hebben van de eerste twintig levensjaren: het ouderlijk huis, de school van vroeger, de kinderen uit de straat; maar je moet toch even peinzen als je op wilt halen waar je drie jaar geleden met vakantie bent geweest.

Is die veroudering dan alleen maar kommer en kwel? Welnee, oude hersenen kunnen juist nog heel veel. Ondanks het feit dat er misschien dagelijks niet meer zo veel nieuwe kennis bij komt als vroeger, is er nog steeds een schat aan kennis opgeslagen in oude hersenen. Wereldwijd vertegenwoordigen ouderen in een samenleving een groot vermogen aan kennis en ervaring.

Maar zelfs met het aanleren van nieuwe taken is het nog niet zo slecht gesteld. Men heeft dit onderzocht door een groep jongeren rond de twintig en een groep vrijwilligers van wat meer gevorderde leeftijd (ongeveer zestig jaar oud) dezelfde motorische taak aan te laten leren.[2] De snelheid waarmee de oudere groep de taak uitvoerde was altijd langzamer dan die van de jongeren, maar verrassend genoeg bleek dat de vooruitgang die de ouderen bij het aanleren boekten veel groter was dan die bij de jongere deelnemers. Uiteindelijk konden na flink oefenen de ouderen bijna net zo goed presteren als de jongeren. Mogelijk komt dit doordat bij veroudering compensatie voor het wegvallen van hersencellen wordt gevonden door meer gebieden te betrekken bij de uitvoering van een taak. Zo gebruiken jongere mensen bij het aanleren van taken vaak slechts één hersenhelft, terwijl de ouderen twee helften gebruiken. Helaas bleek in bovengenoemd experiment dat de volgende dag, nadat iedereen een goede nachtrust had gehad, de jongere groep in de tussenliggende tijd – zonder de taak verder te oefenen – zich verbeterd had, terwijl de ouderen qua prestaties weer teruggevallen waren. Dat is natuurlijk verregaand oneerlijk. Terwijl de ouderen door noest oefenen kunnen aanpikken bij de jongeren, lopen de jongeren vervolgens weer uit, niet doordat ze daar hard voor werken, maar gewoon vanzelf, tijdens hun slaap. Slapend leren is vooral het voorrecht van jonge mensen, een voorrecht waar ze overigens minder gebruik van maken dan zou kunnen.

Er rest de ouderen niets anders dan de troost dat al die slimme jonge mensen vanzelf ouderen worden met stramme hersenen. Niemand ontsnapt.

Stille kracht

HIËRARCHIE IN GROEPEN

Het blijkt toch niet mee te vallen om te voorspellen wat er gaat groeien uit schoolkinderen van zo'n zeventien, achttien jaar, zoveel is wel duidelijk geworden vandaag. Natuurlijk, er zijn van die opgelegde kansen die je niet kunt missen. Dat de jongen die vijf tienen op zijn eindexamenlijst had staan en steengoed was in alle exacte vakken uiteindelijk hoogleraar in de wiskunde is geworden is niet echt een verrassing, hooguit dat hij daarvoor moest uitwijken naar het buitenland. Ook het feit dat de dochter van een bekende journalist nu zelf bij een krant werkt, wekt weinig bevreemding. Een grensgeval is het jongetje dat altijd heel hoge cijfers haalde, maar er toch niet echt bij hoorde omdat hij zo vreemd sprak en nog vreemder liep, met verende tred. Hij was te slim voor zijn leeftijd en daarom emotioneel te jong voor zijn klas. Dat hij uiteindelijk in zijn leeftijd zou groeien en dan ten volle zou profiteren van zijn intelligentie was wel te verwachten, maar een minister had ik niet in hem voorzien. Toch is hij dat geworden, met verende tred en al, maar dat ziet niemand want zijn kundige antwoorden geeft hij staand vanachter het spreekgestoelte; het journaal heeft veel te veel haast om zijn gang naar de katheder te registreren.

Een grote groep medeleerlingen heeft een oppassend bestaan opgebouwd dat in grote lijnen strookt met het verwachtingspatroon voor leerlingen van een dergelijke school. Maar er is toch een aantal scholieren van wie ik nooit had gedacht dat ze zó terecht zouden komen. Zo hing er bijvoorbeeld in de pauze altijd een jongen met zijn rug tegen een muurtje van het schoolplein, een vriendinnetje tegen hem aangeplakt. Hij was niet wars van enige publieke aandacht, met zijn lange haren en dat weelderige meisje onder handbereik, zeker als hij 's ochtends het schoolplein op kwam knetteren met zijn brommertje. Maar Kamerlid? Nee, dat had ik toch niet achter hem gezocht. Het Nederlandse volk ook niet, want hij is inmiddels alweer uit de Kamer verdwenen. Of neem nu Pieter uit mijn klas. Naar mijn idee was hij het grootste deel van de tijd lichtelijk stoned; in ieder geval was hij erg vermoeid, want hij lag altijd met zijn hoofd slapend op de voorste bank. Je weet nooit zeker hoeveel tijd iemand werkelijk aan zijn schoolwerk besteedt, maar ik schat dat hij buiten die slaapuren in de klas vooral een actief privéleven had waarin weinig tijd overbleef voor huiswerk. Toch haalde hij zonder zittenblijven het eindexamen, omdat hij geboren was met een groot talent voor talen. Hij was briljant in alle moderne talen zonder daar enige inspanning voor te hoeven leveren. Met enige moeite herkende ik hem enkele jaren geleden tijdens een receptie in de lange kale meneer die beweerde dat hij met mij in de klas had gezeten. Pieter was na zijn eindexamen uiteindelijk Duits gaan studeren. 'Ik dacht dat ik op de universiteit wel zo door kon gaan als op de middelbare school,' legde hij uit, 'maar dat bleek toch niet te lukken. Zo'n studie gaat na verloop van tijd niet helemáál zonder werken.' Karaktervol had hij volhard in zijn levensstijl en ten slotte de studie eraan gegeven in plaats van te besluiten eens iets te gaan doen. Hij bracht zijn dagen tegenwoordig door als huisman, een eerzame tijdspassering maar een die toch nog steeds wat ongewoon overkomt. Hij zag er niet ongelukkig uit.

Zo'n onverwacht verloop blijkt ook het levensverhaal van Thomas te hebben. We komen in de hal eigenlijk toevallig met elkaar in gesprek omdat tijdens de afsluitende borrel mijn glas met mineraalwater door een onbedoelde elleboogstoot van een ander over zijn jasje gaat. Na wat onhandig depwerk en gedoe met papieren zakdoekjes vinden we het allebei ongepast om meteen weer door te lopen en vragen daarom maar van welk eindexamenjaar de ander is. Onverwacht blijkt dat vrijwel hetzelfde jaar te zijn, we zaten zelfs een jaar in dezelfde klas. Na heel diep nadenken weet ik me een stil jongetje te herinneren, een dun ventje met puistjes. Die puistjes zijn in de loop der jaren helemaal verdwenen en zijn figuur is opgevuld op een manier die doet vermoeden dat hij vaak in goede restaurants dineert. Dat dunne ventje dat ergens onderaan in de hiërarchie van de klas bungelde heeft zich blijkbaar over de jaren omhooggewerkt.

Over hiërarchie zijn we natuurlijk heel veel te weten gekomen door naar het dierenrijk te kijken. Vooral apen zijn boeiende individuen om te bestuderen omdat we ons zo kunnen inleven in hun drijfveren. Een bekende neurobioloog, Robert Sapolsky, heeft jarenlang de hiërarchie bestudeerd in een kolonie van bavianen in het Serengetipark en zich afgevraagd welke positie in de hiërarchie de meeste stress en het grootste gezondheidsrisico oplevert.[1] Doordat de dieren in een beschermd park leven hebben ze vrijwel geen natuurlijke vijanden en is er voedsel in overvloed. Dat laat hun alle tijd om de liefde te bedrijven, gelegenheidscoalities te vormen, sommige groepsgenoten uit te sluiten of te verraden, kortom, al die handelingen die ook mensen als kind en adolescent al oefenen en waardoor ze later in hun werkzame leven dol kunnen draaien en zelfs in de ziektewet geraken. Sapolsky richtte zijn onderzoek vooral op de mannen, waar stress veroorzaakt door de positie in de groep veel voorkomt.

Bovenaan staat de alfaman, de sterkste aap, in de kracht van zijn leven, die al dat gewriemel om posities onder hem met gepaste afstand bekijkt, terwijl hij zich wentelt in de aandacht en beschikbaarheid van de meest begeerlijke vrouwen. Zolang hij nog in blakende gezondheid verkeert en zijn gezag vanzelfsprekend is, staat hij boven de partijen. Helemaal onderaan zitten de kanslozen, de apen met een bochel, de aapjes die net komen kijken of van de verkeerde familie afstammen, de jongens die weten dat ze voor een dubbeltje geboren zijn. Toch heeft deze onderklasse een eigenschap, zo weten we weer uit muizenkolonies, die van groot belang is als er onrust in de hiërarchie is, zoals bij machtswisselingen of volksverhuizingen: ze zijn gewend om goed op hun omgeving te letten – je weet nooit uit welke richting je nu weer een klap kunt verwachten – en kunnen daarbij hun levenswandel flexibel aanpassen. Ze wachten min of meer in stilte hun kansen af. Hun waarde blijkt pas goed als de kolonie door omstandigheden op onbekend terrein komt en het essentieel wordt om goed op gevaren in de omgeving te letten. De minst begeerlijke positie is die van de tussenapen, zij die er graag bij willen horen maar ieder moment een dolkstoot in hun rug kunnen verwachten van een concurrent.

Als je kijkt hoe deze apen lichamelijk en geestelijk omgaan met onverwachte situaties of conflicten dan blijkt dat de alfa-aap een superieur werkend stresssysteem heeft, waarbij net voldoende stresshormonen vrijkomen om de situatie in te kunnen schatten en energie te verschaffen waarmee je de benodigde actie kunt ondernemen; zodra de rust weerkeert, gaat de hoeveelheid stresshormonen (vooral van het hormoon cortisol uit de bijnier) weer snel omlaag. Heel anders is het gesteld met de apen die lager in de hiërarchie staan. Bij deze apen gaan de cortisolniveaus ook sterk omhoog als ze een stressvolle situatie meemaken maar het duurt geruime tijd voordat die niveaus weer naar hun rustwaarde terugkeren, zelfs als er helemaal geen reden meer is om die waardes hoog te houden. Gemiddeld staan alle organen in het lichaam van deze apen, inclusief hun hersenen, daarom bloot aan veel hogere niveaus van cortisol dan het geval is bij de apen met een hoge positie. Die hogere hormoonniveaus brengen op de langere termijn een gezondheidsrisico met zich mee. Waar cortisol op korte termijn helpt om hart en bloedvaten zo aan te sturen dat de spieren en de hersenen op volle kracht kunnen werken en tegelijkertijd alles onderdrukt wordt wat in een noodsituatie niet ter zake doet, zoals spijsvertering, immuunreactie, groei en voortplanting, daar gaat deze werking zich op den duur tegen de overlevingskansen van het individu richten. De bevattelijkheid voor ontstekingen neemt toe omdat het immuunsysteem niet optimaal werkt, het voortplanten wordt minder succesvol, de kans op allerlei chronische aandoeningen zoals diabetes neemt toe, kortom, de toekomst ziet er zorgelijk uit.

Deze gezondheidsrisico's zijn niet alleen afhankelijk van de positie in de hiërarchie, het blijkt ook belangrijk te zijn hoe het individu met de ontstane situatie omgaat. Sapolsky vond de hoogste cortisolspiegels in het bloed van apen die niet goed konden inschatten of er werkelijk reden was om je druk te maken of dat de dreiging wel zou overwaaien. Het ging relatief ook niet goed met degenen die van tevoren slecht konden voorspellen of ze het conflict dat ze aangingen konden winnen; 'pick your battles', staat in de handboeken voor managers. Zeer gestrest waren verder de apen die dachten dat ze een conflict hadden gewonnen maar na enige tijd verongelijkt ontdekten dat ze er alleen maar slechter van waren geworden. In al die gevallen van conflict, verlies en frustratie was de laatste redding om een andere aap in de buurt, die nietsvermoedend wat om zich heen zat te kijken, een oplawaai te geven: dieren die hun negatieve ervaring konden afreageren op een ander hadden minder hoge cortisolspiegels dan apen die alle ellende helemaal alleen moesten zien te verwerken. Het krampachtig in de weer zijn om je positie in de groep veilig te stellen brengt dus een zeker gezondheidsrisico met zich mee.

Zoals gezegd, die worsteling om je plek in de hiërarchie te vinden begint al vroeg, op de lagere en zeker de middelbare school. Als ik terugdenk aan die schooljaren waren er altijd groepjes waar je wel of juist niet bij hoorde. Binnen iedere klas bestond een natuurlijke ordening van kinderen, niet naar lichaamslengte zoals bij de gymnastiekles, maar naar invloed. En dat is nog steeds zo. Hoe de volgorde wordt bepaald is een subtiel proces, waar vooral veel factoren níet aan bijdragen. Schoolprestaties, bijvoorbeeld, zijn maar van zeer beperkte invloed. De prestaties moeten niet zo minimaal worden dat de leerling de school dient te verlaten, maar goede resultaten zijn absoluut geen voordeel, eerder wat suspect. Leerlingen die een goed cijfer halen, vooral als de rest van de klas een onvoldoende heeft, worden met groot wantrouwen benaderd, zoals stakingsbrekers bij een mijnconflict. De weinige momenten van populariteit worden door deze leerlingen beleefd vlak voor een toets, als minder tekstvaste klasgenoten graag in hun directe nabijheid plaatsnemen zodat ze beter zicht hebben op het blaadje met de antwoorden.

Wat ook niet werkelijk bijdraagt aan invloed in de klas is een bijzonder talent. In ieder cohort leerlingen zijn er wel enkelen die uitblinken in muziek, toneel of sport. Andere leerlingen hebben daar een zekere eerbied voor maar de getalenteerden horen er vaak niet bij, al is het alleen maar omdat ze ieder vrij moment besteden aan het ontwikkelen van hun bijzondere talent en daardoor weinig tijd overhouden om buiten school intensief om te gaan met medeleerlingen.

Maatschappelijke status van de ouders, speelt dat mee? Dat staat me niet bij van mijn schooltijd, misschien omdat geen van de ouders echt beroemd was. Geld speelt geen overheersende rol, tenminste niet voor degenen die het hebben. De minder gefortuneerden doen zo krampachtig hun best om erbij te horen dat ze daarom alleen al nooit hoog in de hiërarchie terecht zullen komen. Want daar gaat het nu juist om: dat relaxte besef, zonder enige diepere gedachte, dat iedereen naar jou luistert om te horen wat er moet gebeuren, te weten wat hip is, te zien hoe je je moet kleden. Dat is niet iets waarnaar je streeft maar wat nu eenmaal zo is, voorbestemd eigenlijk, omdat het je toekomt. De echte alfa-(fe)male twijfelt niet en denkt niet na over hiërarchie. Het zou me niet verbazen als ze heel lage cortisolspiegels hebben, ze zitten tenminste uiterlijk en qua gezondheid uitstekend in elkaar.

Iets daaronder is het minder rooskleurig gesteld. Daar woedt de strijd wie wel en niet in de groepjes wordt geduld; op een ochtend kun je zomaar opeens merken dat je stom bent en er niet meer bij hoort. Die gevallen kinderen delen dan soms, net als de apen, een oplawaai uit, zij het in meer figuurlijke zin. Zoals Carla in onze klas, die de drie echtscheidingen van haar moeder toch niet helemaal zonder kleerscheuren was doorgekomen. Toen de moeder van een klasgenote was overleden beet Carla haar tijdens een ruzie toe dat ze op moest rotten, naar haar moeder op het kerkhof. Hoe kun je zoiets nu roepen, dachten we toen. Maar als je naar de hiërarchie in het dierenrijk kijkt, weet je het. Die figuurlijke mep is een natuurlijk verdedigingsmechanisme, de beste manier om je cortisolspiegels zo laag mogelijk te houden en je gezondheid te optimaliseren.

Nu ik aan de Thomas van vroeger denk, lijkt het duidelijk dat hij ergens onder in de kolonie verkeerde, zo'n jongen die geen vrienden heeft, altijd als laatste wordt gekozen bij een balspel tijdens gymnastiek, iemand die niet wordt uitgenodigd voor feestjes. Thomas was niet anders gewend en het stoorde hem misschien niet echt. Na school studeerde hij in dezelfde stijl rustig verder, twee studies maar liefst, fiscaal recht en economie. Gaandeweg zijn carrière ging hij zich specialiseren in het adviseren van multinationals op het gebied van fiscale zaken en daarin werd hij een van de grootste experts ter wereld. Van een bevriende fiscalist hoorde ik later dat Thomas met zijn bijzondere kennis en inzicht uiterst gewild is als adviseur, de bedrijven willen het liefst door hém bediend worden want zo sparen ze veel geld uit dat anders naar de belastingen verdwijnt, ondanks de niet onaanzienlijke tarieven die Thomas in rekening brengt. Zo heeft hij geleidelijk een flink kapitaal opgebouwd dat hij kundig in een grote kunstverzameling heeft belegd. Hij staat niet alleen bekend als een van 's werelds beste fiscale adviseurs maar ook als de bezitter van een van de grootste privéverzamelingen van negentiende-eeuwse schilderijen. Zijn collectie is sierlijk tentoongesteld, verspreid over zijn huizen in New York, Zuid-Frankrijk en Amsterdam.

Een interessante les, zo'n hiërarchie van de schoolklas. Onze vroegere alfaman is huisarts geworden en voorzitter van de plaatselijke kunstkring, een verdienstelijk lid van zijn gemeente maar daarbuiten volstrekt onbekend. En Thomas, de vleesgeworden onderklasse, is uitgegroeid tot een puissant rijke wereldexpert. Van omega tot alfa.

Crush

CHRONISCHE PIJN

Ergens ver onder de grond van het industrieterrein in M. leefde een mol. Op een dag besloot de mol dat hij liever aan de andere kant van de weg wilde wonen, dichter bij het kanaal. Wat hem precies bewogen heeft om tot die daad te komen... we zullen het nooit weten. Misschien waren de wurmen er vetter? Het kan toch nauwelijks het uitzicht op het water geweest zijn, zoiets is voor een mol van geen belang. Hoe dan ook, hij zette zijn sterke poten aan het werk en groef zich stug door de aangeplette aarde onder de weg, net zo lang tot hij de strook met mals gras vlak langs het kanaal had bereikt. Het lijkt een onbetekenend incident, zeker voor de mol, maar het was genoeg om het leven van een mens ingrijpend te veranderen.

Bernard zat op de lagere school in mijn klas, een lange dromerige jongen. In plaats van ijverig sommen te maken staarde hij minutenlang uit het raam, pas weer met tegenzin tot de realiteit terugkerend als de onderwijzer wrevelig uitriep: 'Zit je weer regendruppels te tellen, Bernard?' Ik weet niet wat Bernard buiten in de regen waarnam, maar het was beslist interessanter dan de sommen in zijn rekenboek; daar besteedde hij zo min mogelijk tijd aan. Omdat hij meestal wegdroomde, vorderde het werk maar langzaam. De onderwijzer schiep er een satanisch genoegen in om iedere keer in Bernards werkboekje een slak te tekenen, verwijzend naar het tempo waarmee Bernard door de stof ging. Het was geen kwestie dat Bernard het niet begreep – als hij een opdracht afrondde was die bijna altijd foutloos –, hij schoot gewoon niet op. Om het probleem aan te pakken, zette de meester hem uiteindelijk maar naast zijn tafel, met voor zich een bordje waarop stond: ALS JE DIT LEEST, WERK JE NIET. Deze manoeuvre haalde overigens niet veel uit, want Bernard had nu leuk aanspraak aan de leerlingen die naast de tafel van de onderwijzer wachtten om iets uitgelegd te krijgen. Meestal begrepen ze het al als ze eindelijk aan de beurt waren, want Bernard had de tijd nuttig besteed om de leerlingen op weg te helpen. Zoals gezegd, hij was allerminst dom.

Enigszins tot ieders verbazing behaalde Bernard een uitstekend resultaat voor zijn Cito-toets. Met een klein groepje leerlingen mocht hij naar het gymnasium. Daar werden hij en ik langzamerhand vrienden, platonisch, maar wel zeer sterk met elkaar verbonden; twee *loners* die elkaar gevonden hadden. We liepen in de schoolpauzes altijd samen naar het park, we zaten naast elkaar in de schoolbanken en we maakten al ons huiswerk samen. Ik overhoorde hem de moderne en klassieke talen en Bernard legde geduldig de voor mij onlogische stappen in natuurkunde uit; dat waren er heel veel. Het was een prima symbiose, waarmee we snel en goed aan de eindstreep van de school kwamen. Eigenlijk voelde ik me altijd een beetje schuldig, want ik was ervan overtuigd dat ik zonder Bernards hulp niet zo'n goede leerling zou zijn geweest, terwijl hij vast wel zonder mijn overhoringen uitstekend zou presteren.

Maar de tijd leerde dat het toch anders lag. We gingen beiden studeren, Bernard natuurkunde en ik biologie. Dat laatste ging eigenlijk probleemloos, waarschijnlijk omdat er weinig natuurkunde meer op het programma stond. Vreemd genoeg liep het bij Bernard minder soepel. Als hij een tentamen aflegde ging het heel erg goed, hij had prachtige cijfers. Maar langzaam stokte de motor, en deed hij steeds minder tentamens. Als ik hem vroeg hoe dat nou kwam, zei hij: 'Ik zit 's ochtends aan mijn bureau en dan dwalen mijn gedachten steeds weer af. Ik pak een leerboek, raak geïnteresseerd in iets wat we helemaal niet moeten leren, en voor ik het weet heb ik drie uur over een onderwerp gelezen waar het tentamen niet over gaat. Ik kan mezelf gewoon niet dwingen om geconcentreerd te leren.' Het was de oude kwaal, weliswaar geen regendruppels tellen, maar misschien had het geholpen als in die boeken stond: 'Als je dit leest, werk je niet'? Er kwam steeds minder uit Bernards handen, zonder overhoringen en een narrige meester kwam hij niet vooruit.

Toch kwam het via een omweg nog goed. Hij brak zijn studie af en ging via een uitzendbureau werken om aan de kost te komen. Na een aantal van dergelijke tijdelijke baantjes kwam hij terecht bij een kantoor waar ze al snel zagen dat je Bernard meer kon laten doen dan enveloppen sorteren. Ze gaven hem een uitdagender opdracht en dat deed hij prima. Zijn geluk was dat de leidinggevende van de afdeling zag dat die uitzendkracht een superieur analytisch vermogen had, gecombineerd met een goed inzicht in computersystemen. Langzamerhand werden de opdrachten moeilijker, eigenlijk zo dat er niemand was behalve Bernard die het probleem wist op te lossen. Zo werd hij heel geleidelijk onmisbaar. Hij doorzag situaties waardoor hij het bedrijf vele miljoenen uitspaarde, hij kon systemen zo helder uitleggen dat de directie hem meenam naar besprekingen in Den Haag, met de minister. Ze schiepen een positie-op-maat, speciaal voor hem, en drukten ook financieel hun waardering uit voor zijn werk. Aanvankelijk werd er nog wel druk op hem uitgeoefend om toch een opleiding af te ronden, maar naarmate zijn inzichten en oplossingen belangrijker werden voor het bedrijf verstomden de aansporingen en rekende men uit dat Bernard meer opbracht als hij voor de zaak werkte dan als hij in de tijd van de baas een studie voltooide.

Elk jaar organiseerde het bedrijf een uitstapje voor het personeel. Iedereen nam dan voor de deur van het kantoor plaats in een touringcar en zo werd men naar een oord in Duitsland of België vervoerd om met elkaar een lang weekend door te brengen. Bernard had het nooit zo op die touringcar: het was benauwd, je kon er niet uit als je dat zelf wilde en bovendien behield hij liever zelf controle over het vervoer, zonder afhankelijk te zijn van een chauffeur. Hij had eigenlijk helemaal een hekel aan verkeer, met al die drukte en stank van de uitlaatgassen, vandaar dat hij ook nooit autorijlessen had genomen. Gedurende zijn hele leven had hij zich verplaatst per fiets, niet alleen in Nederland, maar ook in Zweden, Oostenrijk, de binnenlanden van Spanje, (voormalig) Joegoslavië, de Oekraïne. Het deed hem heimelijk plezier als hij op zijn stadsfiets met volle bepakking een steile berg op fietste en dan met gemak al die amateurcoureurs op hun glimmende racefietsen achter zich liet.

Hij besloot dan ook om de touringcar te laten voor wat hij was en per fiets af te reizen naar de Ardennen, waar het bedrijfsweekend dat jaar zou plaatsvinden. Hij vertrok lekker vroeg, trapte flink door en was rond tien uur 's ochtends al bij het industrieterrein van M., op de weg langs het kanaal.

In die ene seconde dat hij over een verzakking in de weg fietste, zijn vooras brak waardoor de vork over zijn voorwiel zakte en daar een instantane blokkade veroorzaakte... in die ene seconde waarin hij door de vaart van zijn lichaam en de blokkade van het wiel dwars over zijn stuur werd gelanceerd... in die ene seconde dat hij op het wegdek smakte, van alles in zijn schedel brak en zijn ruggenmerg beschadigde... in díe seconde veranderde zijn leven voorgoed.

Een vriend van Bernard belde me op en vertelde over het ongeluk. De volgende dag troffen we elkaar in de gang van het ziekenhuis, waar ook de ouders van Bernard waren neergestreken, nerveus, maar ook enigszins opgelucht dat het alleen om een tijdelijke beknelling (*crush*) van het ruggenmerg ging, godzijdank geen dwarslaesie. Sinds de vorige dag voelde Bernard pijn in zijn teen, wat een goed teken was omdat de signalen vanuit zijn voet blijkbaar nog zijn ruggenmerg en hersenen konden bereiken. Het had allemaal zoveel erger kunnen zijn. Niettemin was het een droevige aanblik om Bernard daar in dat ziekenhuisbed te zien liggen, zijn hoofd in een vreemd metalen staketsel geschroefd, om alle breuken in zijn schedel de kans te geven te genezen. Spreken kon hij nauwelijks, want vanwege een kaakbreuk waren de boven- en onderkant van zijn kaak gefixeerd; probeer zelf maar eens te spreken als je je kiezen op elkaar klemt. Hij was nog suf van de klap en had veel pijn. Na de laatste medische informatie te hebben ontvangen, lieten we hem daarom maar snel met rust.

In de weken daarna knapte hij heel langzaam op. De prognose was dat het minimaal een halfjaar ging duren voor hij weer enigszins hersteld was. Dat herstelproces kon natuurlijk niet plaatsvinden in het ziekenhuis, want daar hebben ze alleen bedden beschikbaar zolang men nog onderzoekt wat de patiënt mankeert of de drain nog in de operatiewond zit. Herstellen of doodgaan moet je over het algemeen ergens anders doen. Zo verhuisde Bernard na enkele weken naar een revalidatie-instelling. Daar deelde hij een kamer met nog drie andere herstellenden, dus van enige privacy was geen sprake. Zoiets doorsta je korte tijd, als je een spoedige terugkeer naar huis voor ogen hebt. Maar Bernard moest het uiteindelijk meer dan een halfjaar volhouden, een heldendaad (van hem en vele anderen) die de krant niet haalt maar wel een die een ijzersterk karakter vergt. Zelf sprak hij als je hem opzocht met waardering over zijn omgeving, want de instelling beschikte volgens hem over de modernste middelen om mensen die ernstig letsel hadden opgelopen, meestal door verkeersongelukken, weer op de been te krijgen en over allerlei specialisten die je daarbij hielpen. Hij liet zich niet uit het veld slaan door die voor mij zo deprimerende omgeving, waar je in iedere gang, in iedere kamer, zwaar beschadigde mensen kon aantreffen, meestal jonge jongens die eigenlijk gewoon ongestoord buiten hadden moeten sporten in plaats van in een rolstoel zitten.

Maar ondanks deze aanvankelijk positieve houding, sloop ook bij Bernard na verloop van tijd enige wanhoop in zijn houding. Hij ging beseffen dat zijn leven nooit meer zou worden als het daarvoor was geweest. Dat zelfs het bedienen van een computer slechts met allerlei hulpgrepen kon plaatsvinden. Dat hij niet meer naar zijn werk zou kunnen fietsen, laat staan fietsvakanties kon houden in verre oorden. Toen hij na al die maanden van revalidatie eindelijk thuiskwam, kon hij zich maar met moeite zonder hulp redden. Hij pakte zodra het kon zijn werk weer op, maar slechts parttime, door het bedrijf van huis gehaald en gebracht met een auto. Het kostte hem enorm veel moeite en vooral energie om dit vol te houden, maar het werk gaf ook veel terug, gewoon door het contact met collega's en de voldoening dat je ondanks alles toch iets doet wat nuttig is.

Waar hij echter niet op had gerekend, was dat zijn lichaam nog een nagekomen bericht voor hem had. Geleidelijk aan ontwikkelde hij een tergende pijn in zijn armen en benen. De huid van zijn armen en voeten verkleurde, werd warm en zwol op; iedere aanraking van de huid zorgde voor ondraaglijke pijn. Het lijkt iets triviaals, maar het ging zijn leven beheersen. Als elke aanraking een kwelling wordt, is het dragen van schoenen onmogelijk. Zelfs sokken kun je dan niet velen. Voeten die toch gemaakt zijn om op te lopen worden voor dat doeleinde vrijwel onbruikbaar, zodat dagelijkse handelingen zoals boodschappen doen of zelfs een trap op lopen onhaalbaar worden. En hoe vaak maak je niet een onbewuste beweging met je hand, waardoor je tegen een kopje stoot of je prikt aan een vork? Wíj merken dat nauwelijks op, maar als zo'n kleine aanraking een felle en langdurige pijnsensatie veroorzaakt, zijn er eigenlijk weinig momenten in de dag dat je geen pijn kent.

Deze aandoening die vroeger met posttraumatische dystrofie werd aangeduid en tegenwoordig deel uitmaakt van een breder fenomeen, het complexe regionale pijnsyndroom, is bekend maar grotendeels onbegrepen. Onder het complexe regionale pijnsyndroom valt enerzijds de vrijwel continue pijnsensatie die het gevolg is van een directe beschadiging van zenuwen in ledematen. Anderzijds omvat het de vlammende pijn die zich in vlagen voordoet in een of meerdere ledematen waarvan de aanleiding divers is maar meestal in geen enkele verhouding staat tot de enorme pijn die het veroorzaakt. Deze vorm van regionale pijn kan bijvoorbeeld optreden nadat iemand gevallen is en een op zichzelf onbeduidend botje heeft gebroken in hand of voet. Zeker als vervolgens het gips te strak wordt aangelegd treedt nogal eens secundair zo'n regionaal pijnsyndroom op. Het kan ook voorkomen na problemen elders in het lichaam, zoals na een beroerte of hartchirurgie. Bij kinderen treedt het soms op nadat ze zijn gevallen en hun hand of voet hebben gekneusd, op zichzelf een voorval waar nauwelijks aandacht aan wordt besteed, maar door de langdurige pijn die zich vervolgens openbaart een heel beangstigende ervaring. Het complexe regionale pijnsyndroom kan zich voordoen van jong tot oud, maar komt relatief iets vaker voor bij vrouwen, vooral na armletsel van vijftigplussers. Bij een klein deel van de patiënten blijven de symptomen jaar na jaar bestaan, zoals bij Bernard.

De schade lijkt enigszins specifiek te zijn voor bepaalde zenuwbanen. Zenuwvezels die betrokken zijn bij voelen kunnen grofweg in twee categorieën worden ingedeeld: enerzijds de dikke vezels waarlangs de signalen met hoge snelheid worden doorgegeven naar het ruggenmerg en vervolgens de hersenen; deze vezels zijn vooral betrokken bij het voelen van de vorm van voorwerpen. Anderzijds zijn er dunne vezels die veel trager werken en die vooral een rol spelen bij het waarnemen van bijvoorbeeld temperatuur en pijn. Het verschil in snelheid verklaart waarom we eerst waarnemen dat we een pan in handen hebben en pas daarna dat die pan gloeiend heet is. Voorlopige resultaten met nieuwe meetmethodes geven aan dat bij het complexe regionale pijnsyndroom vooral de dunne vezels beschadigd zijn. Vezels die in de buurt liggen van de beschadigde exemplaren worden gevoeliger voor pijnprikkels dan normale vezels. Ook delen van het ruggenmerg waarheen deze vezels projecteren blijken veel reactiever dan normaal, zodat iedere pijnprikkel die binnenkomt, leidt tot een sterkere pijnsensatie. Het is zelfs waarschijnlijk dat ook projecties die een stap verder liggen, in de hersenen zelf, aangedaan zijn. Dit kan verklaren waarom de pijn zich manifesteert in meerdere ledematen en zich soms uitbreidt van de ene lichaamshelft naar de andere.

Het beschrijven van zo'n syndroom is één ding, maar begrijpen hoe het ontstaat en welke kwetsbaarheidsfactoren daartoe bijdragen is iets heel anders, daar komen maar heel mondjesmaat ideeën over vrij. Vroeger meende men dat als reflex op de beschadiging van ledematen het sympathisch (onwillekeurig) zenuwstelsel werd geactiveerd, hetgeen onder meer zou verklaren waarom patiënten een verhoogde bloeddoorstroming en daarmee een hogere temperatuur, rode kleur en opzwelling van het getroffen lichaamsdeel vertonen. Maar sinds duidelijk is geworden dat geneesmiddelen die de werking van het sympathisch zenuwstelsel tegengaan bij de meeste patiënten met complex regionaal pijnsyndroom niet werkzaam zijn, is die theorie verlaten. Op dit moment wordt eerder verondersteld dat er sprake is van een lokale ontstekingsreactie en van een slecht functionerende bloedsomloop als gevolg van het afsterven van de dunne zenuwvezels. Onderzoek naar genetische risicofactoren heeft nog weinig substantiële inzichten opgeleverd. En voor het idee dat psychische factoren een risico vormen is ook weinig evidentie, al worden bepaalde antidepressiva wel voorgeschreven als behandeling van het complexe regionale pijnsyndroom, overigens zonder dat de effectiviteit onomstotelijk is aangetoond. Wel vertonen patiënten vaker dan de rest van de bevolking symptomen van depressie, maar het is heel goed mogelijk dat die depressie een gevolg van het complex regionale pijnsyndroom is, en niet wijst op een kwetsbaarheidsfactor. Denk je maar eens in hoe het voelt als je leven continu wordt beheerst door pijn en alle beperkingen die dat in het dagelijkse leven met zich meebrengt.

Als de oorzaak van een ziekte van het zenuwstelsel niet begrepen wordt, wil dit niet altijd zeggen dat er geen behandeling voor is. Symptomen van schizofrenie werden bijvoorbeeld behandeld lang voordat men een idee had van de onderliggende biologische processen. Sterker nog, men ging pas beter begrijpen wat er aan de hand was toen men zag welk soort geneesmiddelen een gunstige invloed op het verloop van de ziekte hadden. Maar in het geval van het complexe regionale pijnsyndroom is men niet in die fortuinlijke positie. Hier is sprake van een grotendeels onbegrepen aandoening die vooralsnog ook grotendeels onbehandelbaar is. Naast de toediening van geneesmiddelen die eigenlijk voor heel andere doeleinden zijn ontwikkeld (zoals tegen depressie, epilepsie of ontstekingen), het blokkeren van het sympathisch zenuwstelsel en het onschadelijk maken van vrije radicalen (moleculen die veel schade in weefsels kunnen aanrichten), wordt vooral 'neuromodulatie' toegepast. Hierbij worden stroomstootjes toegediend aan zenuwbanen of ruggenmerg. De effectiviteit kan eigenlijk niet goed getest worden, omdat patiënten bij stimulatie een licht prikkelende sensatie waarnemen, zodat de gouden onderzoeksregel – het vergelijken van echte behandeling met nepbehandeling, zonder dat patiënt of arts op de hoogte zijn welke vorm wordt aangeboden – niet kan worden toegepast. Of de verlichting van de symptomen dus werkelijk het gevolg is van stimulatie van de vezels valt nog te bezien.

Terwijl Bernard en ik na de schoolreünie weer op weg gaan naar de auto, door dezelfde straat als vijfendertig jaar geleden elke dag na schooltijd, sta ik onwillekeurig stil bij de verandering in beeld tussen die twee momenten. Voor mij is er op het oog niet zoveel veranderd, maar Bernard zit nu niet langer op het zadel van zijn fiets maar in de kuip van zijn scootmobiel.

Waarom doet een mens hersenonderzoek? Waarom zijn wereldwijd vele tienduizenden dagelijks met hersenonderzoek bezig? Je vraagt je dit als hersenonderzoeker niet dagelijks af, maar soms sta je er opeens bij stil dat het is om dit soort situaties te voorkomen, om te zorgen dat mensen die een ziekte van de hersenen of het ruggenmerg oplopen eindelijk behandeld kunnen worden of, beter nog, om te voorkomen dat de ziekte zich voordoet. Maar ook om dat wonderlijke orgaan dat zo in essentie bepaalt wie en wat we zijn beter te doorgronden, zelfs als er geen sprake van een ziekte is.

Als het karretje weer veilig in de achterbak van de auto is gehesen en Bernard en ik in de riemen zijn geklikt, rijden we langzaam de straat uit. In de achteruitkijkspiegel zie ik het gebouw van de school steeds kleiner worden, tot het uit beeld verdwijnt als we de hoek omslaan.

Noten

ALLEMAAL PUKKELTJES

1 J.R. Smith, M.A. Hogg, R. Martin, D.J. Terry. 'Uncertainty and the influence of group norms in the attitude-behaviour relationship'. *British Journal of Social Psychology* 46: 769-792, 2007.
2 V. Klucharev, K. Hytönen, M. Rijpkema, A. Smidts, G. Fernández. 'Reinforcement learning signal predicts social conformity'. *Neuron* 61: 140-151, 2009.

SLAPEND WIJS

1 M.P. Walker, T. Brakefield, A. Morgan, J.A. Hobson, R. Stickgold. 'Practice with sleep makes perfect: sleep-dependent motor skill learning'. *Neuron* 35: 205-211, 2002.
2 U. Wagner, S. Gais, H. Haider, R. Verleger, J. Born. 'Sleep inspires insight'. *Nature* 427: 352-355, 2004.

VERSCHILLEND EN TOCH GELIJK?

1 J.S. Hyde, S.M. Lindberg, M.C. Linn, A.B. Ellis, C.C. Williams. 'Diversity. Gender similarities characterize math performance'. *Science* 321: 494-495, 2008.
2 J.S. Hyde, J.E. Mertz. 'Gender, culture, and mathematics perfor-

mance'. *Proceedings of the National Academy of Sciences* USA 106: 8801-8807, 2009.
3 L. Guiso, F. Monte, P. Sapienza, L. Zingales. 'Diversity. Culture, Gender, Math'. *Science* 320: 1164-1165, 2008.

EEN KORT LONTJE

1 O. Cases, I. Seif, J. Grimsby, P. Gaspar, K. Chen, S. Pournin, U. Müller, M. Aguet, C. Babinet, J.C. Shih, et al. 'Aggressive behavior and altered amounts of brain serotonin and norepinephrine in mice lacking MAOA'. *Science* 268: 1763-1766, 1995.
2 H.G. Brunner, M. Nelen, X.O. Breakefield, H.H. Ropers, B.A. van Oost. 'Abnormal behavior associated with a point mutation in the structural gene for monoamine oxidase A'. *Science* 262: 578-580, 1993.
3 S.M. Côté, T. Vaillancour, J.C. LeBlanc, D.S. Nagin, R.E. Tremblay. 'The development of physical aggression from toddlerhood to preadolescence: a nation wide longitudinal study of Canadian children'. *Journal of Abnormal Child Psychology* 34: 71-85, 2006.

NIEMAND ONTSNAPT

1 W. Wen, P. Sachdev. 'The topography of white matter hyperintensities on brain MRI in healthy 60- to 64-year-old individuals'. *Neuroimage* 22: 144-154, 2004.
2 R.M. Brown, E.M. Robertson, D.Z. Press. 'Sequence skill acquisition and off-line learning in normal aging'. PLoS ONE 4: e6683, 2009.

STILLE KRACHT

1 C.R. Virgin, R.M. Sapolsky. 'Styles of male social behavior and their endocrine correlates among low-ranking baboons'. *American Journal of Primatology* 42: 25-39, 1997.

Verantwoording

De gebeurtenissen en personen die beschreven worden in dit boek zijn over het algemeen fictief hoewel geïnspireerd door de werkelijkheid. Pukkie ging elders in de stad naar school, Dieuwke heeft in deze vorm nooit bestaan enzovoort.

De wetenschap is echter niet verzonnen. Bij het schrijven van dit boek is gebruikgemaakt van de meest recente wetenschappelijke inzichten. Deze zijn gebaseerd op vele artikelen die niet apart geciteerd worden. Alleen daar waar resultaten van een wetenschappelijke studie gedetailleerd zijn beschreven, wordt verwezen naar de bron.

Mijn dank gaat uit naar Leonard van den Berg, Michel Ferrari, Ron de Kloet en Jet Naftaniel, die (delen van) het boek van commentaar hebben voorzien.

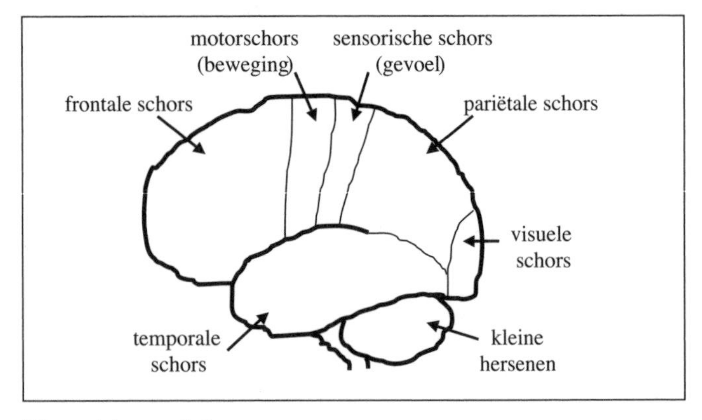

Zijaanzicht van de hersenen

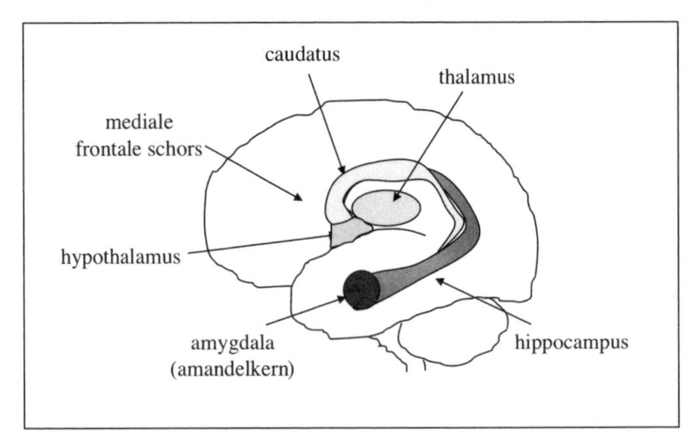

Zijaanzicht van de hersenen, door de hersenschors naar binnen